W9-BKG-954

南懷瑾先生講述

易經雜說

——易經哲學之研究

老古文化事業公司

六版說明

編輯室

易經的道理雖云淺易，却又頗為深奧，講課時因有語氣及肢體語言為助，聽眾的領悟較易，改成文字後，則常感有欠清淅。本書出版時因客觀因素，未能詳加審閱，故後有多次修訂之舉。

本書原由蔡策先生根據其筆記參酌錄音整理而成，再由閆修篆先生協助校閱，并核對原典。小標題乃陳世志先生（時任老古經理）及閆氏合力而為。

五版及六版的修訂，乃閆氏於出差旅途中所完成。由於閆氏對易學之愛好，為便於讀者了解故，再作此最後之修訂。

在六版付印前夕，略追記本書出版之經過，並向前述蔡、閆、陳等諸先生之貢獻心力致謝。

本書已於今年三月在北京印行簡體字版，初次印刷四萬冊，并已於六月再版。

劉雨虹 記

民國八十三年七月

五版說明

本書出版未幾，即已五版問世，可見它是多麼適合社會大眾需要的一本書，我們原計劃是將作者南懷瑾先生有關易經的講演用易經雜說㈠㈡㈢……等方式出版，迨第㈡集打印完成，發現我們原來的想法錯了，擬出版的易經雜說㈡是作者對孔子繫傳完整的講演紀錄，如以「雜說」方式出版，似欠允妥，幾經研究，爰以「易經繫傳別講」與讀者見面，本書今後仍以「易經雜說」發行，不再出版續冊，設想不週之處，敬請讀者見諒！

編輯室

四版說明

易經雜說一書，因出版時間匆促，錯誤難免，故而每次再版都又詳加修訂，現在是第四版的訂正了，希望能更臻完善。

本書出版以來，讀者不斷詢問第二集出版日期。事實上我們一直忙於整理作者另一部易經講集，就是孔子的繫傳。

現在易經雜說第二集已進入排版階段了，預計年底前出書，敬請讀者企待。

編輯室

再版前言

編輯室

本書出版後，讀者響應的熱烈，非常超過預料，短期中卽銷售一空。事實上，這本書能夠出版，也是因為讀者熱烈要求的結果。

本書是南懷瑾敎授的講課記錄，時間是一九七五年的冬季，因係隨興而講，幷未準備出版。近年來，台灣及海外華人，研究易經的風氣越來越盛，而來函詢問南師易經講記的人士，更是越來越多。因此之故，本社卽着手將易經講演錄音整理出書。

但因南師遊方海外，本書出版前，未能經其過目。又因時間關係，初版匆匆，其中或有錯誤及不暢之處，值此再版機緣，雖加修訂，仍嫌未能詳盡，却再因讀者催促，又匆匆付印。

這樣一本書，受着需求的影響，雖欲求其完美尚不能如願。這，不能不算是一件奇事。

故而，只好趁再版機緣，敬請高明指敎幷讀者原諒了。

目錄

敲門磚

中國人一般的觀念，講到易經就想到八卦，想到八卦就和唱平劇拿鵝毛扇穿八卦道袍的聯了起來。好像學了易經以後，便可天上知一半，地下全知的樣子。能不能達到這個程度，可是一個很大的問題。易經是不是包括了那麼多東西，能不能知道過去未來？這是一個很有趣的問題，也是很大的問題。

剛纔提到唱平劇，我們對易經，從平劇三國演義中，就可以了解到，中國平劇非常注重臉譜和服裝，舞臺上穿件八卦道袍，我們現在看起來像是妖道，實際上八卦代表了最高的智慧。所以有人說易經是經典中之經典，哲學中之哲學，智慧中之智慧，這是我們自己站在本位文化的立場，來推崇易經的看法。

此外，我們看見平劇中的臉譜，有的在額上畫一個太極圖，就是表徵這位劇中人的頭腦中充滿了智慧——上通天文，下知地理。從這種戲劇藝術表現方面，就看到了易經在中國文化上的地位、被一般人重視的程度了，這是就好的一面看；就壞的一面看，一提到易經，有人就聯想到跑江湖的、算命的、看風水的、卜卦的……那些江湖術士，不管那一種看法，都表示我們對於自己文化的認識，是不夠的。今天我們開始研究易經，所要走的路線，因為大部份人，以前還沒有接觸過，所以我們在這裡先要使大家知道怎樣去讀易經這部書，先從怎樣去認識它，怎樣去了解它開始。至於深入的研究，有人研究了一輩子，也還沒有搞清楚的所在多有，包括我在內，研究了大半輩子，還跟一個初學的人差不多。實際上，講這門學問，我自己都是戰戰兢兢的，覺得自己非常膚淺，沒有辦法向大家報告，不過有一點點可以提供大家的，亦祇是一塊敲門磚而已。

絜靜精微

現在我們先說古人對易經的看法：禮記「五經解」篇中，提到易經時說：「絜靜精微，易教也。」據說這是孔子整理易經所作的結論、對易經的評語。「絜靜精微」這四個字，看來很簡單、而它的含義卻很深廣：「絜靜」包括了宗教的，哲學的多種涵義，也就是說學了易經，他的心理，思想，情緒……無論在任何情況下，都會非常的寧靜，澄潔。「精微」則是科學的，是無比的細密精確，所以學易的人，頭腦要非常冷靜。我也常常告訴年輕的同學們，晚上不要讀易經，不是因爲老輩們說易經可以避邪，凡是不正的妖魔鬼怪，都怕易經，因之有人生了重病，在枕頭下放本易經，就可把鬼祟趕跑了；又說易經一讀，鬼神聽到了都不得安寧，所以夜裡不讀易經。最初我也很喜歡夜裡讀易經，可是一讀，這一夜就完了，以後我也就不敢讀了，因爲夜間一讀易經，一夜都不能睡覺——一個問題找到了答案，同時又會發生另一個新的問題，于是不斷發現問題，不斷尋找答案，不斷發現新的道理……越研究越沒完，不知不覺就到了天亮。所以深深體會到古人「閒坐小窗讀周易，不知春去已多時。」一個春天過完了還不知道的情景。爲什麼時間過去了都不知道？因爲研究易經，需要一個非常冷靜的頭腦，非常精密的思想，所以易之教，是「絜靜精微」，這是孔子對於易經的批評，有如此之嚴重。

但是在「五經解」中，對易經也有反面的批評，怎麼說呢？他說易經的流弊是：「易之失、賊。」就是一個「賊」字，是說學了易經的人，如不走正路，旁門左道，就賊頭賊腦，把上知天文，下知地理那一套，拿起鵝毛扇，鬼頭鬼腦的扇動別人來造反。這是我們自己文化中，對易經最好的評論，一個「賊」字的斷語下得非常妙。

歷史上漢朝的王鳳、唐代的虞世南（唐太宗的宰相，創業時的祕書長，也是他的好朋友。）推崇易經說：「不讀易不可為將相。」不學易經的人，不能作一個很好的宰相，亦不能作一個很好的大將，推崇易經有如此的重要。

我們知道了這些以後，至少可以鼓勵自己，對於老祖宗留下來的這部書，到底畫的是些什麼名堂？非要弄個清楚不可，譬如有人認爲房子對面有一個什麼煞，就到街上買一個八卦回來，在門口一掛，好像就可以保險了，這中間究竟有什麼作用？有沒有這種作用呢？

三　易

易學有如此的重要，我們該怎樣去研究它呢？大家要注意，各位手邊的「易經集註」，只是中國易經學問的一部分，這本書也叫周易，是周文王在羑里坐牢的時候，他研究易經的心得記錄。我們儒家的文化，道家的文化，一切中國的文化，都是從文王著作了這本易經以後，纔開始發展下來的。所以諸子百家之說，都淵源於這本書，都淵源於易經所畫的這幾個卦。事實上還有兩種易經，一種叫「連山易」，一種叫「歸藏易」，加上我們手邊所持的「周易」，總稱爲「三易」。「連山易」是神農時代的易，八卦的先後位置，和周易的八卦位置，是不一樣的。黃帝時代的易爲「歸藏易」，「連山易」以艮卦開始，「歸藏易」以坤卦開始，到了周易則以乾卦開始，這是三易的不同之處。說到這裡，我們要有一個概念，現在的人講易經，往往被這一本周易範圍住了，因爲有人說「連山易」和「歸藏易」已經遺失了、絕傳了。事實上還有沒有？這是一個大問題，可以說現在我們中國「江湖」中人所講的這一套東西：如醫藥、堪輿，還有道家這一方面的東西，都是「連山」「歸藏」兩種易學的結合。

易經的三原則

「連山」、「歸藏」以外，周易本身這門學問中，有一個原則，亦叫作「三易」，意思是說易經包括了三個大原則：就是一、變易，二、簡易，三、不易。研究易經，先要了解這三大原則的道理：

(1) 變易

第一，所謂變易，是易經告訴我們，世界上的事，世界上的人，乃至宇宙萬物，沒有一樣東西是不變的。在時、空當中，沒有一事、沒有一物、沒有一情況、沒有一思想是不變的，不可能不變，一定要變的。譬如我們坐在這裡，第一秒鐘坐下來的時候，已經在變了，立即第二秒鐘的情況又不同了。時間不同，環境不同，情感亦不同，精神亦不同，萬事萬物，隨時隨地，都在變中，非變不可，沒有不變的事物。所以學易先要知道「變」，高等智慧的人，不但知變而且能適應這個變，這就是爲什麼不學易不能爲將相的道理了。

由這一點，我們同時亦了解到印度佛學中的一個名辭——「無常」。這個名辭後來慢慢的被一般人變成了迷信的色彩，變成城隍廟裡塑的一個鬼，高高瘦瘦，穿白袍，戴高帽，舌頭吐得長長的「白無常」，都說這個「無常鬼」來了，人就要死亡，這是迷信。實際上「無常」這個名辭是一種佛理，意思是說世界上沒有一種東西能永恒存在的，所以名爲「無常」，這就是易經中變易的道理。我們中國文化中易經的原則，認爲宇宙中的萬事萬物，是沒有不變的，非變不可，這是原則。印度人則是就現象而言，譬如看見一幢房子蓋起來，便想到這房子將來一定會倒塌，看見人生下來，也想到人一定會病、會老、會死……這是見現象而有感，遂名之爲「無常」。

(2)簡易

第二簡易，宇宙間萬事萬物，有許多是我們的智慧知識沒有辦法了解的。在這裡產生了一個問題，也可以說是哲學上的一個對比，我們常常跟朋友們講，天地間「有其理無其事」

的現象，那是我們的經驗還不夠，科學的實驗還沒有出現；「有其事不知其理」的，那是我們的智慧不夠，換句話說，宇宙間的任何事物，有其事必有其理，有這樣一件事，就一定有它的原理，祇是我們的智慧不夠、經驗不足，找不出它的原理而已。而易經的簡易也是最高的原則，宇宙間無論如何奧妙的事物，當我們的智慧夠了，了解它以後，就會變得很平常，很平凡而且非常簡單。我們看平劇裡的諸葛亮，伸出幾個手指，那麼輪流一掐，就知道過去未來，有沒有這個道理？有，有這個方法。古人懂了易經的法則以後，懂了宇宙事物以後，把八卦的圖案，排在指節上面，再加上時間的關係，空間的關係，把數學的公式排上去，就可以推算出發生的事情來。這就是把那很複雜的道理，予以簡化，所以叫作簡易。那麼易經首先告訴我們宇宙間的事物無時不變，儘管變的法則極其複雜，不管宇宙萬事萬物如何錯綜複雜的現象，可是當我們懂了原理、原則以後，就非常簡單了。

(3)不易

第三不易，前面說過，宇宙萬事萬物隨時在變，可是卻有一項永遠不變的東西存在，就是能變出來萬象的那個東西，卻是不變的，是永恒存在的。那個東西是什麼呢？宗教家叫它是「上帝」、是「神」、是「主宰」、是「佛」、是「菩薩」。哲學家叫它是「本體」，科學家叫它是「功能」，管它是什麼名稱？反正有這樣一個東西，那個東西則是不變的，能變萬有萬物萬事的那個「它」是永遠不變的。

這是易經的三個原則，先要懂得。

理、象、數

懂了這三個原則以後，還有三個法則要懂得，這三個法則，就是我們手邊這部易經的三個內涵：理、象、數。

這些基本原則先要記住，纔能研究易經，現在先解釋這三個字。

根據易經的觀點看宇宙的萬事萬物——人生也好，情緒也好，思想也好……都有它的原則和道理。以我們現代的觀念而言，理是屬於哲學的，宇宙間萬事萬物既都有它的理，也必有它的象；反過來說，宇宙間的任何一個現象，也一定有它的理，同時每個現象，又一定有它的數。譬如這個錄音帶，是錄音用的，它能錄音，其中有很多理，錄音帶的樣子、大小等還會放出聲音，就是它的象；這捲錄音帶，若干分鐘可以錄完，有若干長，若干寬，這就是它的數。萬事萬物都有它的理、它的象和它的數。

所以研究易經的學問，有些人以「理」去解釋易經，有些人以「象」去解釋易經，有些人以「數」去解釋易經。古代的人掐指一算，萬事皆知，那就是瞭解了易數的原故。宇宙間萬事萬物都有它的數，這是必然的過程，譬如我們舉起桌上的茶杯，左右搖擺，這就是一個象；而左右搖擺了多少度？多少秒鐘搖擺一次？就有它的數；爲什麼要搖擺，就有它的理——是我爲了使大家更具體了解易經理、象、數的道理所作的動作。所以易經每一卦、每一爻、每一點，都包含有理、象、數三種涵義在內。人處在世界上，與這個世界的關係，不停的在變，祇要發生了變，便包涵了它的理、象、數。人的智慧如果懂了事物的理、象、數，就會知道這事物的變，每個現象，到了一定的數，一定會變，爲什麼會變，有它的道理，完全明白了這些，就萬事通達了。理、象、數通了，就能知變、通、達，萬事前知了。

我常常告訴同學，最好不要去鑽研「易」這門學問，如果鑽進去了，會同我一樣，爬不出來，如果一定要學，也最好祇學一半，如果眞把易經學通了，做人就沒得味道了。譬如要出門了，因爲易學通了，知道這次出門會跌倒，於是不出門了，一步都懶得動了。像這樣的人生，還有什麼味道？何必去學？所以我說學易最好祇學一半，覺得奧妙無窮，如黑夜摸路，眼前迷迷茫茫，滿有趣的；天完全亮了走路，眼前有一個坑，會掉下去，看得淸淸楚楚，於是不走了。可見學通了易經非常乏味，何必去學？話雖這麼說，但學易眞的通了，那裡還用來講易經，我現在還來講易經，可見就是半吊子，還不通。像我這樣不通的人，在這裡吹這些東西，或許可以幫大家摸摸這條路，如果有位眞正通易的人，知道我們在這裡研究易經，看我們盲目得太可憐了，也許會同情我們，高興來帶帶路，也說不定。

理論講到這裡，以下我們進行八卦的研究：

玩索而有得

我們現在開始研究易經，有一個法則要把握住，這個法則就在手邊這本書上，孔子研究了易經以後說出來的，他這句話很妙，他說「玩索而有得。」學易經最好用打麻將的方式來學它，如果把八卦刻在麻將牌上，摸起來就趣味無窮了，孔子教我們唸別的書，都是要持嚴肅的態度，唯有教我們學易，要「玩索而有得」，要天天玩它。我年輕時讀易經，老師硬教背，痛苦之至，問他這些話是什麼道理，他也不講，大概他亦沒弄清楚，祇認識書上的文字。後來自己年紀大了，慢慢摸這個東西，就發現需要玩了，最初用象棋子，畫上八卦拼來拼去，後來乾脆改用麻將牌。現在一直想改用電腦，可惜沒有時間去研究製作，最好能像科學館的天文儀一樣來玩，所以易經要「玩索而有得」，要玩什麼？玩卦。

卦與八卦

什麼叫作卦？古人解釋：「卦者掛也。」等於沒有解釋。實際上是說，卦就是掛起來的現象，八卦就是告訴我們宇宙之間有八個東西，這八個東西的現象掛出來，就是八卦。這個宇宙就是一本易經，宇宙的現象都掛在那裡，現在我們先了解它的原理。

☰第一個乾卦代表天，我們仰頭一看，天總是在上面，到了太空倒轉頭來，頭上還是天，天一定在頭頂的。

☷坤卦是地，人類是地球的文化，地總是踩在腳底下，這個是地的現象掛在那裡。

「☰」「☷」這兩個符號，代表了時間、空間、宇宙。在這個天地以內，有兩個大東西，一個是太陽，一個是月亮，像球一樣，不斷在轉，所以：

☲離卦代表太陽。

☵坎卦代表月亮。

這兩個東西不停的旋轉於天地之間，於是有四個卦掛出來了，還有兩個卦是雷、風。

☳震卦代表雷，我們以現代科學的知識和觀念，來說明我們自己老祖宗的文化，他們認為宇宙間有這種能，電震動了就是雷，一震動以後，對面變成了氣流，就是風。

☴巽卦代表風，亦即是氣流，氣流震動得太厲害，一磨擦又發電，又回轉來了，就是「雷風相薄」，這是雷風兩個卦。

還有兩個卦，是

☶艮卦代表高山、陸地。

☱兌卦代表海洋、河流。

在宇宙間，除了這八個大現象以外，再找不出第九樣大的東西了，這祇說大的，不說小的，如說小的，西裝亦一卦，灰塵亦一卦，那就多得很，不能再講了。大的現象祇有八個，沒有九個，亦不能七個，祇有八個卦，而且都是對立的。可是這八個現象，變化起來就大極了，是無窮的，不能窮盡的數字，變化當然也是無窮無盡的。

現在看伏羲八卦方位圖。

說卦傳：

天地定位。山澤通氣。雷風相薄。
水火不相射。八卦相錯。

風巽☴5
月坎☵6西
山艮☶7
天乾☰1南
地坤☷8北
澤兌☱2
東3
日離☲
雷震☳4

這個卦圖以前是不用的，在唐宋以前沒有看見過，在宋以後才出現這個圖，過去研究易經，祇研究周易，研究的人多構成自己的圖案，到宋朝以後，宋版的易經始用這樣的圖案，宇宙變化就從這裡來的，其次，我們懂了「卦者掛也」的道理以後，再來看易經的卦，不必那麼嚴重，但亦不單，要輕鬆的去看。

後面是文王八卦方位，八個卦排列的位置不同：

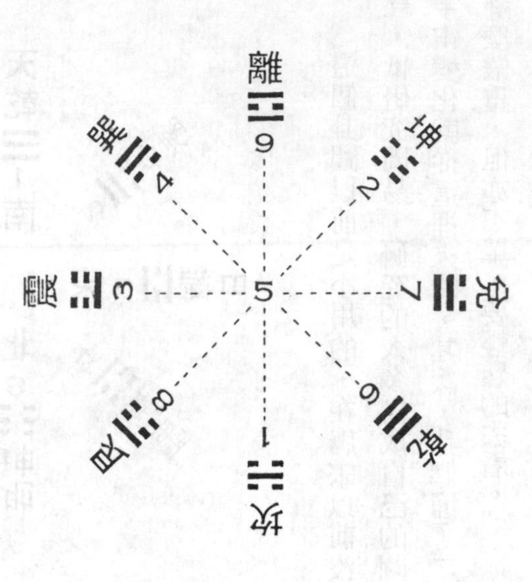

說卦傳：

帝出乎震。齊乎巽。相見乎離。
致役乎坤。說言乎兌。戰乎乾。
勞乎坎。成言乎艮。

伏羲八卦方位圖又名先天八卦，文王八卦方位圖又名後天八卦。

先天八卦

什麼叫先天？以哲學的觀點說，宇宙萬物沒有形成以前，即是所謂的先天；有了宇宙萬物，那就是後天了。換言之，我這個人，在母親未生我以前，是我的先天；生了以後，就是我這個人的後天。在娘胎裡是先天，離開了娘胎是後天，這是先天、後天的觀念。先後天這兩個名辭，祇是一種代號的作用，以邏輯來說，這祇是一種界說，用以劃分出階段範圍而已。

伏羲的先天八卦，畫在紙上是平面的，看起來好像毫無道理，假如有一種儀器，使其立體化，就更容易表現出它的精神了，現在寫在紙上的，祇不過是一種符號，譬如現在的乾卦，是「☰」這樣的三橫，但在古代卻並不一定是這樣畫的，像我們在甲骨文中看到的「川」和「∴」都是乾卦，所以大家不要把卦看得那麼呆板嚴重，好像說門口掛上八卦，把鬼都可以趕跑，那是我們人的偉大，不是卦的偉大。不過到現在，關於卦的符號，早已經確定下來了。

字是寫的，卦是畫的，所以我們叫作畫卦，人類原始的時候沒有文字，中國的原始文字都是圖畫，像「鳥」字，原來就畫成一隻鳥的樣子，日月山水舟車蟲魚都是這樣，可知中國文字的起源就是圖畫。卦的圖案，每個卦都有三畫，我們稱爲三畫卦，卦中的畫叫「爻」，爲什麼叫「爻」？「爻者交也！」爲什麼「爻」就是交？這是說明卦在告訴我們，宇宙間萬事萬物，時時都在交流，不停的發生關係，引起變化，所以叫作「爻」。

☰乾卦的三爻，都是完整的「—」，這叫作「陽爻」。（大家不要上當，我們中國人，一遇到「陽」、「陰」，馬上產生一種神祕的觀念，覺得奇怪，其實幷不奇怪，「陰、陽」

也一樣的祇是一種代號。）一畫在中間斷裂的如「⚋」，叫作陰爻，兩個是相對的。
三個陽爻，完整的三畫，爲乾卦，代表天。三個陰爻，斷裂的三畫，爲坤卦，代表地。在人來說，乾卦代表男人，坤卦代表女人，以一隻手來說，手背是乾，手心是坤。由此可知，這祇是一種不定的代號，也是一種數理的符號，這種符號可以有很多方面的用法。
八卦的圖案，乾卦代表天在上，坤卦代表地在下，畫出來就是前面伏羲的先天圖，它的方位，和現代我們所用地圖，上爲北方，下爲南方的情形，恰恰相反。八卦的方位，上面是南方，下面則是北方，它的圖相是這樣的：

兩者不同各有他的道理存在。
剛才我們談的是乾卦與坤卦，現在再提出來一個卦，這個卦下面是陽爻，上面也是陽爻，中間一爻是陰爻──「☲」──這是離卦，代表太陽，位置在東方，離卦「☲」這樣畫，實際上

古人已經看到，太陽中間有一個黑點，外面兩爻是陽爻，中間是陰爻，光明的，看得見的是陽，看不見的是陰，所以這是代表太陽，叫離卦，亦代表火，代表光明。

離卦的對方是「☵」，下面是陰爻，中間是陽爻，上面是陰爻，卦名叫坎，代表月亮，這現象表現太陽在東方掛起來了，月亮掛到西方去了。太陽月亮繞着南北磁場之間一條無形的線在轉，以現代的科學來說，古人太不科學了，太陽月亮怎麼是繞地球轉的？但是古人站在地球上看太陽月亮的出沒，的確是這種現象，古人把眼見的現象，用八卦這樣簡單的表現出來，亦不能說不科學。以地球爲本位，當然是太陽跟地球轉，以太陽爲本位則自然是地球繞它轉了，各個立場不同，并沒有錯，是很科學的。現在我們假定把時間和環境拉回到三千年以上，就可以了解古人是很科學的了。再往前看，在一百年以後的人，來看我們現在這個時代的人，也同樣是很不科學、很落伍的。

這個坎卦，代表月亮，也代表水。

有人講易經的科學，問老祖宗畫卦是怎樣來的？答案是觀察來的、是依據科學來的。但是依我的看法，它不像是我們這一個時期的人類文化，而是上一個冰河時期的人類文化，發達到最高點，把科學的無數法則，歸納又歸納，最後歸納到八個簡單的符號——八卦，留下來這麼一點東西，而被我們的老祖宗發現了拿來用，我想我們的老祖宗，說不定還不會有那麼高的智慧能夠創造出來易經的程度，易經的法則，隨便用在那裡都通的，以現在的科學來看，易經的法則，用在化學上亦通，用在物理上亦通，所以易經的法則，眞正是人類智慧的結晶。

現在，乾、坤、離、坎四個大卦，掛在那裡大家都看得見的，就是天、地、日、月四個大象。

☳這個卦，下面一爻是陽爻，上面兩爻是陰爻，這個卦名爲震。「震爲雷」它代表的是雷電、動能，以現代的觀念來說，宇宙間有一種動能，而動能最大的現象就是雷電，在八卦圖上，它的位置放在東北角上。

在震卦的對面西南角上的一個卦是：

☴下面一爻是陰爻，上面兩爻是陽爻，恰和震卦的陰陽爻相對，這個卦名是巽，代表宇宙的氣，代表風。

仔細再看這兩個卦的卦象，震卦正是一種震動的現象，打雷了，雷電震動以後，陽變爲陰，陰變爲陽，就變成氣流了。這兩個卦的位置相對，名爲「對宮卦」。一般人去算命，算命先生說這命在那一宮。一般人聽到「宮」字，就聯想到宮殿，想到自己是皇帝、皇后了。實在不是這個意思，古人說的「宮」，就是位置、方位。震卦的對宮卦就是巽卦，宇宙的雷電一震動，就發生大氣流，大氣流磨擦，又發生雷電，這兩個不斷的在互相變化。

另外在圖的西北角上，下面兩爻是陰爻，上面一爻是陽爻，形成：

☶艮卦，代表山，它的對宮卦是：

☱下面兩爻是陽爻，上面一爻是陰爻，名兌卦，又叫作澤，代表海洋江河，這是先天八卦圖的基本觀念。

其次要注意的，是先天八卦圖的數，乃依據八卦排列的秩序產生的。「數」在易經裡是很奇妙的，人們在遇到不如意的事之後，往往認爲這些事的發生，是有定數的。我們知道，在世界科學史上，天文和數學，都是以我們中國的最古老，當時我們已經進步到歸納的數理，現代西方的數學，都是向外演繹的，越算方法越多，中國的文化是講歸納的，就是把很多的公式、方法，一個一個慢慢歸納起來，最後祇歸納到十個數，而且方法非常簡單，祇是加與減，「加減」就哲學的觀點而言，宇宙的萬物，不是增加，就是減少，沒有第三個現象。現在這個先天八卦圖的數字排法是：乾一、兌二、離三、震四、巽五、坎六、艮七、坤八。這八個數字，如果連接起來，它的順序方向是一條線自正南乾起，走向東南兌，而東方離，而最後至東北震，這是順。另一條線，是起至西南的巽卦，而走向西方的坎，而西北的艮，終於正北的坤，這是逆。九在中央。這個先天卦的數要背誦得滾瓜爛熟，以後研究易數，隨時隨地都用得着，這是要特別注意的。

這八個卦，是古人告訴我們，天地間就是這八個大現象在變化，這些圖案都是相對的，如乾卦三條完整的「⚊」代表完全的陽，而對面三條中間斷裂的「⚋」坤卦，代表完全的陰，兩卦的現象是相對的，坎、離是相對的，震與巽，艮與兌都是陰陽相對的。舉物理的例子來說，桌子上的這個毛巾碟子，大家所看見的，同是一個圓的盤子，黃色的毛巾，第一個原因是我們每人的感受，儘管眼睛有近視、老花或散光，而感受是一樣的，第二個原因，物體形狀、顏色的不同，拿到物理實驗室去分析，祇是構成物體原子的排列不同，而呈現了形狀、顏色等等的不同。如構成鑽石的原子，是和構成煤的原子一樣的，祇不過是原子的排列不同，於是就分別構成了鑽石與煤，這是現代科學幫助了我們對物質的了解，而我們的老祖宗早已了解這個道理，組合排列不同現象亦變了，作用亦變了，數字亦變了，效果亦變了，由此亦可了解人事的法則，譬如講領導學，同樣三個人一組，甲當組長，乙丙當組員，改爲乙當組長，甲丙當組員，那麼領導的方法就變了，作用亦變了，效率亦變了，這亦同樣是這個道理，組合排列一有變化，整個事物都會變。我們今天看到美國總統領導的政府又換了人，他的組合排列變了，他這個八卦又要動了。所以古人說：「善易者不言卜。」通了易經的人，不必算卦，一看現象，就了然了。在後來發展到一種「梅花易數」，聽別人的聲音，一句話，就知道了問卜的結果，這種卜卦的方法，就是根據問卜的時間、空間，當時環境、景物，問卜者的身分以及所問的事情等等因素，以易經的數理推算結果出來，沒有什麼稀奇。

現在，就先天八卦，除掉乾、坤、坎、離四個卦，我們不去管它，看另外四個卦：

☶艮卦，圖案就是高山，下面兩爻是陰爻，上面是陽爻，畫成線條，就是高山。地球開始形成，原來是一大塊濃漿，漸漸冷却，凝固起來就是高山，下面平地，再下去就是海洋，陰的上面是陽爻，成凸出的高山。

☱相反的，地球的下面是海洋，海洋下面的海底又是石塊爲陽，就是兌卦，和高山相對的，這和震、巽兩卦相對，雷電的震動產生氣流，氣流的磨擦產生雷電的道理一樣。

這個圖案，就叫作先天八卦，亦叫作伏羲八卦，因爲我們的老祖宗伏羲，在黃帝、神農以前，伏羲還不是最早的老祖宗，以前還有天皇氏、地皇氏、人皇氏，慢慢才到伏羲，照我們舊觀念的說法，我們的歷史文化，到現在已經是兩百多萬年，現在的一九七五年，是根據西洋文化來說的，或說中國文化三千年、五千年，都是跟着西洋人說的，是我們的謙虛，在這運氣不好的時候，祇有謙虛一點，等到運氣好的時候，再說我們的歷史有兩百多萬年。所以伏羲并不是我們最老的老祖宗，祇是代表我們八卦的文化，是從他開始。

現在我們把中國的地形圖放在前面，那就更妙了。當時畫八卦，是以我們中國爲本位，試依艮、兌、震、巽四個卦的位置看，艮卦在西北，而我國西北高原是高山，艮卦是代表山，由艮卦一直下來，到東南是兌卦，而我國的東南，正是海洋。西南是巽卦，代表風。我自己的經歷，當年到了雲南，去洱海經過下關，這裡以風大著名，十輪大卡車經過這裡，可以關了油門，任風吹着走，雲南在西南邊陲，就有這個現象。等於現在說基隆宜蘭一帶多雨，是「金生麗水」，因爲這帶有金礦，向來有金礦的地方都是多雨的，這是現象，有沒有道理，尚待研究。但是西南多風，東南多河川及海洋，東北多震雷，西北多高山，這個八卦的圖案，代表了宇宙的一切現象，平面的現象，代表了中國的地形，因爲這是以中國爲本位的。關於這一點，舉個現在的事例來說明，曾有一位跟我學易的學生，在澳洲當大使，後來要修大使館，寫信來問，在澳洲用羅盤是不是和在國內一樣的用法，這是一個前所未有的新問題，因爲易經八卦是以中國爲本位，所以在五行方位上，南方爲火，北方爲水，而澳洲在赤道以南，現象恰恰和我們相反，一時之間，幾乎把我問倒了，所有以前易經方面的著作，都沒有談過這個問題，又沒有辦法去問老祖宗們，經過仔細一想，所謂萬物一太極，從這句話想出道理來了，告訴他把羅盤的南北向倒過來用。後來他寫信告訴我，照這個方法用，結果非常靈，這就是堪輿學的「移形換步」。譬如一張桌子，換一個位置，所形成的狀況，坐在那裡所看見的現象，就和以前不同了。

這是初步介紹先天八卦，亦卽伏羲八卦圖案的大概，獲得一個基本的概念，接下來介紹後天八卦，亦卽是文王八卦的方位。

後天八卦

後天八卦的卦，還是乾、坤、離、坎、震、艮、巽、兌八個卦，可是圖案上擺的位置完全不同了。周文王的八卦，爲什麼卦的方位要作這樣的擺法，這要特別注意。假使對易經學到需要在某一方面應用，而且用的有功效，就要特別研究後天八卦了。先天八卦等於是表明宇宙形成的那個大現象，後天八卦是說明宇宙以內的變化和運用的法則。

從前面畫的圖可以看到，後天八卦的位置，坎卦在北方，離卦在南方，震卦在東方，震卦對面的西方是兌卦，東南是巽卦，東北是艮卦，西南是坤卦，西北是乾卦。

說到這裡，先講一點八卦的運用，現在大家把這個後天八卦，放到左手的手指上來，排的位置是這樣的——

無名指的根節上放乾卦，中指的根節上放坎卦，食指的根節放艮卦，食指的中節放震卦，食指的尖節放巽卦，中指的尖節放離卦，無名指的尖節放坤卦，無名指的中節放兌卦：

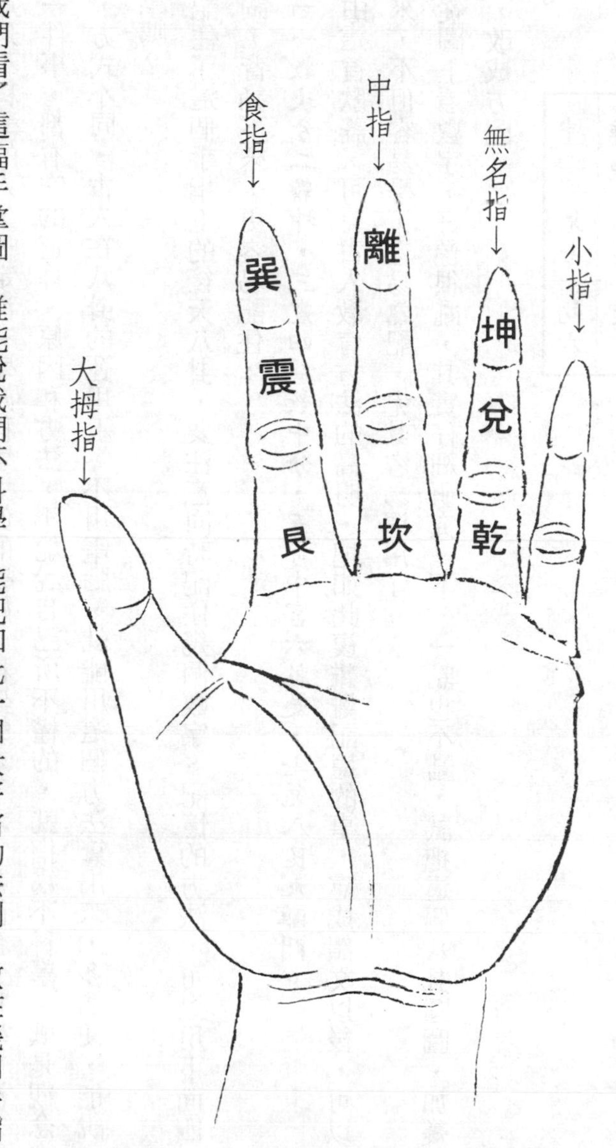

我們看了這幅手掌圖，誰能說我們不科學，能把如此一個大宇宙的法則，放在幾個手指上搬來搬去，太科學了！太科學了！帶一副儀器在身上，多麼不方便，這樣放在手心上玩，要多方便有多方便，指斷了還可在手掌心上用，眞是再高明不過了！可見說八卦不科學的人，一定是不科學的人，一定沒有學好科學；眞的學好了科學的人，看它都很合乎科學方法。任何一件事，都有它的道理、原因和方法，不能說自己所不懂的，就指爲不科學。祇是觀念不同，方式不同，古人在八卦的運用上，不用電腦，就能用這個方法算出來，多簡便，能說不科學嗎？

記住了這個手指上的後天八卦，要注意同時記住幾個數字，記憶的方法，可以用下面四句歌詞，背誦下來，更容易記住：

「一數坎兮二數坤，三震四巽數中分，五寄中宮六乾是，七兌八艮九離門。」

由這首歌謠，可見古人教育方法的高明，把如此複雜難記憶的事，寫成韻文以後，可以唱出來，不但容易學，容易熟記，尤其容易運用了。

從圖上看數字，好像很亂，其實仔細研究一下，一點也不亂，試把這個八卦圓圖，加幾條線，改成方圖：

巽四	離九	坤二
震三	五	兌七
艮八	坎一	乾六

從這個圖的位置上看，凡是相對的兩個卦加起來，都得十的和數，如果連中心的五亦計進去，則無論任何一行，橫的、直的、斜的三格總和都是十五，而兩卦相加，都合而爲十，所以中國人、印度人，乃至天主教徒，行禮都是兩掌合起，就是合十。更奇怪的，西方宗教崇敬的亦是十字架。

數是科學的東西，其中的道理非常多，不要輕視它。我們卽使不管八卦，以這個數字排列的現象，以這個法則來領導人事、管理人事、處理家務、駕車，乃至打西洋拳都有用處，這是運用它的道理，不是迷信。

監本易經

易經爲什麼不容易看懂？因爲對象、數方面沒有基本的認識，所以必須把易經的象（這個象我們不妨輕鬆點看，以現代語說它是個圖案畫。）認識清楚。易經不像別的書本，聽過了就算了。同時講易經有它的系統，假使中間缺了一節，以後就接不上了。還有學易經，其中的註解，有的是不對的，不能看的，尤其宋朝朱熹註的易經，也許比我高明，但他似乎根本還沒有讀通，如參考他的，就完全走錯了路，而且宋朝以後的易經註解，多數是走物理的路線，就是用儒家學術思想來解釋易經，而我們手邊的這本易經，過去叫作監本，就是明朝以後的國子監——近乎現代的國立大學的課本。這個監本是明朝儒家採用朱熹的思想而定的。明清以來，我們講孔孟之學，大部分都傾向於朱熹的思想，明朝之所以捧朱熹，等於唐太宗捧道教，因爲老子姓李，唐太宗也姓李，明朝的皇帝姓朱，所以也找出一個姓朱的人來捧。明朝永樂皇帝以後，硬性規定，考功名時，四書五經必定要用朱註的，所以我們幾百年來的文化思想，受這個規定的禍害很大，他們都是用儒家四書五經的思想來講易經的理。如果研究易經有興趣，學久了就會知道，易經的理，不必太偏重它，但并不是不重視，因爲研究幾年，懂了易經以後，大家都會說理，譬如對於乾卦，朱熹認爲是那樣，我們亦可以認爲是這樣，各有各的理，正理祇有一條，歪理可有千條。而易的象與數，卻是科學，沒有辦法講歪的，就非要學會它的規矩、法則，纔能懂得易經。可是千古以來，有關易經的書本，都不肯把這個規矩說清楚，乃至於老師也不肯說清楚。在抗戰時期，有一位留美學科學的四川朋友，對象數很有研究，但卻不肯隨便教人，所以對象數我們要特別注意。

六十四卦的來源

易的象、數，該如何開始學起？大家要先把八卦、六十四卦默誦熟了，不過這很困難，但是每天如果能夠抽出十分鐘到十五分鐘，坐在公共汽車上背誦，三個星期就默誦熟了。一般文章，論也好，述也好，句句有道理，還容易默誦；八卦的乾三連、坤六斷、震仰盂、艮覆碗、離中虛、坎中滿、兌上缺、巽下斷，這八個卦，是韻文，也還易默誦。至於八八六十四卦，就難了。從中國學術史上看，唐宋以前，還沒有分宮卦象次序，學易經，默誦易經，還沒有這個分宮卦象次序可資遵循，就更不容易記憶。還是到宋朝以後，纔把這個次序列出來，這個次序的排列，是有一定的道理的，是由每一卦變出了八個卦，八個卦變成六十四卦，如乾卦的變：

䷀乾爲天　䷫天風姤　䷠天山遯　䷋天地否

䷓風地觀　䷖山地剝　䷢火地晉　䷍火天大有

乾爲天，乾是卦名，接下來天風姤，爲什麼接下來就是天風姤？是什麼道理？爲這問題，我們當年是吃過苦頭的，向老師提出這個問題。老師祇是說「先默誦」，祇好背誦，可是到底講了些什麼東西則不知道？心裡眞納悶，祇好去背誦。現在可以告訴大家一個祕訣，一定背誦得來，這就要先明理，理懂了，就容易背誦。

像這個☰乾卦，從下數到上，有三爻，名三爻卦，這是先天卦的畫法，是伏羲畫的卦，亦是中國有文字的開始。這八個圖案，是中國文字的始源，亦是中國文化思想的來源，後來人類社會越發展，人事越複雜，三爻卦已經不夠用，就變成了六爻卦，如䷀乾爲天，便是六爻卦，現在的卜卦者所卜的卦，就是六爻卦。後天卦統統是六爻的圖案，這六爻卦是很精細的，亦是很科學的？

爲什麼要用六爻？因爲一直到現代的科學時代爲止，宇宙間的事情、物理，沒有超過六個階段的，一切的變，祇能變到第六個階段，第七個變，是另外一個局面開始，以現代科學證明，物理上、化學上、電子、原子的變，都是六個階段，祇有化學的變有七個階段，可是化學的第七個階段是死的，沒有用的。我們的老祖宗的頭腦眞厲害，當時幷沒有儀器，不知是如何發現了宇宙間一切事物，變的階段不會超過六個的大原則，到今天爲止，把全世界的文化集中起來，亦沒有超過這個範圍，所以後天祇用六爻變，這是我們現代的解釋。

古代的解釋，孔子在繫傳中說六爻的道理是：「六爻之動，三極之道也。」什麼是三極？就是天地人三才。人文文化中是人就有男有女，亦即有陽有陰，三才有陰陽相對，三二就得六，這是孔老夫子的心得報告，幾千年來，沒有脫離他的範圍。

這些是我當年吃過苦頭得來的，現在不再帶大家去繞那些迂迴的路，從我的經驗中，找一條捷徑，使初步學易的人可走，使大家在很短的時間就可以懂得，至少可以把門打開了。

要注意的，畫八卦是從下面畫起，不像寫字是從上面寫起，如䷾既濟卦，第一爻是陽爻，第二爻是陰爻，第三爻是陽爻，第四爻是陰爻，第五爻是陽爻，第六爻是陰爻，這樣一路往上畫的。學易經是學哲學，亦是學科學，哲學家、科學家對每一件事都問：「爲什麼？」那易經的卦爲什麼要這樣畫？第一個道理，天下的事情發生變動，都是從下面開始變，換言之是從基層變起；第二個道理，易經的卦，原來祇是三爻，後來變成六爻，名稱上就有了分別：下面的三爻卦爲內卦，上面的三爻卦爲外卦，內外兩卦相連起來，自下面開始畫卦，亦說明了宇宙事物的變，是內在開始變，如人的變，是內在的思想先變，一個公司機構出問題，必然是內部先出了問題，亦是我們中國人：「物必自腐，然後蟲生。」一切東西都是從內變開始，所以畫卦是由下往上，由內而外。

這些道理都知道了，再告訴大家默誦這些卦的方法，這裡可以看到一個很有趣的東西來了，這是我吃了許多苦頭以後纔發現的，現在不要再讓大家吃苦頭了。如果瞭解了這個道理，在默誦時，一方面想到這個道理，一方面默誦，就容易了。

現在大家請看左邊這個分宮卦象圖。

分宮卦象次序 乾坎艮震爲陽四宮巽離坤兌爲陰四宮每宮陰陽八卦

乾為天	天風姤	天山遯	天地否	風地觀	山地剝	火地晉	火天大有
坎為水	水澤節	水雷屯	水火既濟	澤火革	雷火豐	地火明夷	地水師
艮為山	山火賁	山天大畜	山澤損	火澤睽	天澤履	風澤中孚	風山漸
震為雷	雷地豫	雷水解	雷風恆	地風升	水風井	澤風大過	澤雷隨
巽為風	風天小畜	風火家人	風雷益	天雷无妄	火雷噬嗑	山雷頤	山風蠱
離為火	火山旅	火風鼎	火水未濟	山水蒙	風水渙	天水訟	天火同人
坤為地	地雷復	地澤臨	地天泰	雷天大壯	澤天夬	水天需	水地比
兌為澤	澤水困	澤地萃	澤山咸	水山蹇	地山謙	雷山小過	雷澤歸妹

我們先看分宮卦象次序的頭八個卦：

乾為天，天風姤，天山遯，天地否，風地觀，山地剝，火地晉，火天大有。

䷀先看乾卦。我們說過，易經是講天地間的變道，宇宙間的事物，隨時隨地，在時、空以內沒有不變的。現在，這個乾卦，第一爻開始變了，陽極陰生，一件事物到了極點，就要走下坡路了，所以中國的人生哲學，任何事物都留一點餘地，一到了極點就完了。就像袁世凱當年想做皇帝，他的第二個兒子袁克文，寫詩勸他老子不要這樣做，袁世凱看後幾乎氣死了，其中兩句說：「應憐高處多風雨，莫到瓊樓最上層。」到最高層是不可以的，像爬坡一樣，爬到了山頂，一定下來。這個䷀乾卦是陽極了，第一爻變了，陽極就變陰，是由內開始變，於是外卦還是乾☰，內卦第一爻變作陰，就成為☴巽卦，巽為風，所以成為：

䷫天風姤。

接着第二爻變了，外卦還是☰乾，內卦第二爻變為☶艮卦，艮代表山，所以成為：

䷠天山遯。

繼續變下去，外卦還是不動，內卦第三爻變為☷坤卦，坤代表地，於是成為：

䷋天地否。

這樣一看便次序井然，懂了這個道理，就容易默誦了。

也許還有人記不清楚，或者不滿足，希望不要繼續講下去，先把姤卦、遯卦的道理說清楚：

䷫天風姤，外卦乾就是代表太空，內卦巽代表風——氣流。如果學過地質學，學過地球物理學，就會發現我們的祖先越來越偉大。原來太空是無比的大，太空在數字上就是一個「○」。易經的數字和外國的數理學在最高處相同而且比外國好；祇是在應用數學上，現代分析下來，誰好誰壞那是另一問題了。易經早就指出，宇宙間祇有一個數——一，沒有更多的。什麼是二？一加一等於二，再加一爲三，再加一爲四，都是用一加出來的，一纔有象，一從那裡來的，從「○」來的，「○」就代表沒有，代表本體，代表沒有數亦代表無窮數，包括了很多很多，等於一個房間，裡面一樣東西亦沒有，一個空房間，說沒有用也就一點用都沒有，可是它的價値無比，因它可以做電影院，可以做舞廳，可以做課堂，所以「○」代表沒有、代表無窮、亦代表天體——太空。太空在沒有構成宇宙以前的第一個動能，以現代名辭而言，是氣體在流動，由氣流的摩盪，慢慢凝結，因爲氣流的震盪，便發生了電力、熱力，形成了泥土，高山也起來了，於是由天風姤，然後天山遯，遯就是逃避。意思是物質形成以後，最初的功能，慢慢在退位，像一幢房子建築完成，開幕啓用的那一天，亦是這幢房子開始衰壞的一天，也就是它開始「遯」的一天。

最妙的是到了第三爻一變，外卦還是乾代表天，內卦完全變成坤卦，坤卦代表地，天地否，就是倒楣了。我們祖先的哲學可眞妙啊！天地開闢了多好，西方的宗教認爲上帝開闢天地，創造了萬物，又照他的樣子創造了人，這該多好！可是易經說，這要倒楣了，并不美麗，天地否，如果沒有宇宙，亦沒有人生，大家免得煩惱，都空空洞洞的，滿好。一有了天地宇宙，便倒楣了。猶如一個窮小子，身上祇有一個明天吃的饅頭，晚上睡覺一定安逸，假使袋裡忽然有了一百萬，夜裡反而失眠。

內在開始變，變到第三爻，等於我們內在思想中動一個念頭，想做一件事，一步步地思想成熟了，可以發展到外面去了，內卦影響到外卦，從內變影響到外變，外面環境亦受到影響了，於是外卦的第一爻亦開始變了，就變成爲：

䷓風地觀，再第五爻變了，成爲：

䷖山地剝，現在外卦祇剩了一點陽，所謂「碩果僅存」，陽能被一點一滴剝削完了，祇剩最後一點唯一的生機，所以是剝。試看地球上，海洋的面積最大，陸地最少，高山又佔了很多面積，剝削了可供人類生存的大地。

從乾卦的本卦開始，到剝卦已經出現了六個卦了，再變下去，則產生第七個卦了，那麼這一次變，我們祖先的法則，不能再往上變了，如果再往上變，很簡單，就變成䷁坤卦，陽極就是陰，如以易經這個道理來看，人生也沒有什麼，祇不過生出來又死掉，兩個階段而已，睡覺、醒來，亦祇是兩個階段而已，所以不能再變了。那麼這第七變，是另一個變法，變出的第七個卦，名爲遊魂卦。老一輩年紀大的人，以文字對人家說自己活不長久了，往往用：「魂遊虛墓之間」來表示，意思是說，人雖活着而靈魂已經進入墳墓中了，遊魂就是這個境界。現在說乾卦的變，由一、乾爲天，二、天風姤，三、天山遯，四、天地否，五、風地觀，六、山地剝，到了第七變不能再往上變了，於是改爲外卦的初爻再變，卽第七卦：

䷖山地剝的外卦卽☶艮卦的初爻，亦卽是䷖剝卦的第四爻變，又是陰極陽生成爲：

䷢火地晉，晉亦就是進步的進。這第七個卦名爲遊魂之卦，這是表示由內在的思想，變成行動，由行動影響到外在的環境，現在又是外在的環境，又壓迫自己內在的思想發生了變，遊魂就是這樣回來的。到了第八變，名歸魂卦，意思是回到本位了，內卦變成原位，於是成爲：

䷍火天大有。

乾宮的八個卦就這樣變的，簡單的說，分宮卦象次序的變是這樣的：㈠本體卦，㈡初爻變，㈢第二爻變，㈣第三爻變，㈤第四爻變，㈥第五爻變，㈦第四爻變回原爻，㈧內卦變回本體卦，知道了這個道理，發現原來有如此好的組織，就容易默誦了。

再舉䷜坎卦：

䷜坎爲水，第一爻開始變，內卦成爲☱，兌卦爲澤。

䷻水澤節，第二爻再變，陽爻變爲陰爻，內卦變成☳震卦，震爲雷，於是成爲：

䷂水雷屯。照同樣法則依次是䷾水火既濟，䷰澤火革，䷶雷火豐，䷣地火明夷，䷆地水師。衹要知道了這個法則，以下艮、震、巽、離、坤、兌等六個卦都是一樣，不必我一一詳說，大家都會變，都會默誦了。

錯綜複雜

其次要了解的，我們常常說某件事錯綜複雜，這錯綜複雜的語源，就是本自易經，易經的範圍太廣，眞可說是「錯、綜、複、雜」。這四字的意思是指卦變而言，我們常說某人變卦，某人變卦，變卦是卦變的顚倒語，我們中國人說話，常常都是來自易經，如說：「不三不四。」爲什麼不說「不五不六」或「不一不二」呢？「不三不四」這句話，又是根據易經來的。因爲易經的道理，卦的第三爻和第四爻最重要，這兩爻在卦的正中間，亦是中心的位置，如果一個人不成樣子，就被形容爲「不三不四」。又如「亂七八糟」，卽是從遊魂卦、歸魂卦來的，中國人處處都在引用易經的話，祇是自己不知道而已。

錯綜——相對與反對

卦的錯綜複雜是什麼意思？現在先說綜卦，爲了使大家看八卦圖案的方便，還是擧乾卦爲例來說明：

䷀乾卦的第一爻變爲䷫姤卦，如果把這個䷫姤卦倒過來看，或者是平放在桌面上，站到對面來看，就成了䷪夬卦，這就是姤卦的綜卦。綜卦是相對的，全部六十四卦，除了八個卦以外，沒有不相對的，這綜卦是象，而綜卦的理，是告訴我們萬事要客觀，因爲立場不同，觀念就完全兩樣。另外有八個卦是絕對的，無論單方面看或相對的看，都是同一個樣子，這八個卦是䷀乾卦，天，怎樣去看都是天，䷁坤卦，地總歸是地，亦是絕對的，䷜坎卦是絕對的，䷝離卦亦是絕對的，其他䷛大過、䷽小過、䷚頤、䷼中孚也都是絕對的，除此之外，其餘五十六卦都是相對的，這表明宇宙間事物都是相對的，這就是綜卦的道理。

錯卦，是陰陽交錯的意思，錯卦的理是立場相同，目標一致，可是看問題的角度不同，所見也就不同了。如：

䷫天風姤卦，它的第一爻是陰爻，其餘五爻都是陽爻，那麼在陰陽交錯之後，變成了：

䷗這樣第一爻是陽爻，其餘五爻是陰爻，如上面的這個卦象，它的外卦是坤，坤爲地，內卦是震，震爲雷，就是地雷復卦，所以天風姤卦的對錯卦，就是地雷復卦。六十四卦，每卦都有對錯的卦，因此學了易經以後，以易經的道理去看人生，一舉一動，都有相對、正反、交錯，有得意就有失意，有人贊成，就有人反對，人事物理都一定是這樣的，離不開這個宇宙大原則。

以現在的觀念來解說，綜卦可以稱之爲反對的或相對的，錯卦可稱之爲正對的。有人說易經動輒有黑格爾的辯證法的思想，他說的正、反、合，就是易經的原則，這是亂講。現在中國人很可憐，講自己的文化，要和西方的文化比，我們這個和愛因斯坦一樣，爲什麼不說愛因斯坦和我們一樣？硬要把祖父拉下來和孫子比，說祖父很像孫子，很可憐，眞是豈有此理？爲何要如此比呢？他們說黑格爾的正、反、合是三段論法，我告訴他們易經是八段論法，比起來黑格爾就顯得粗糙得很，又算得了什麼？易經看東西是八面玲瓏的，現在已經看了四面了，仍以䷫天風姤卦來說，綜卦是䷪澤天夬，錯卦是䷗地雷復，而復卦亦應有它的綜卦，就是䷖山地剝，這豈不是看了四面，所以易經的頭腦，一件事初到手，處理起來，四面都要注意到，不但要注意四面，還要八面玲瓏。

複雜的道理

易經還有一個道理——複雜，亦卽等於交互卦的道理，我們都講究互助，這個互象就是易經的圖案，像同樣的掛勾交相掛住，就是一個「互」字。什麼是交互？就是六爻內部的變化，如第二爻上連到第四爻，下面掛到上面去爲互，第五爻下連到第三爻，上面交至下面來爲交，這是交與互的不同，每卦的縱深內在，發生了交互的變化，又產生了卦。換句話說，這是告訴我們看事情，不要看絕了，不要只看一面，一件事情正面看了，再看反面，反面看了，再把旁邊看清楚，同時旁邊亦要看反面，這樣四面都注意到了，還不算完備，因爲內在還有變化，而內在的變化，又生出一個卦了。除了乾、坤兩卦外，別的卦把中心拿出來交互，又變了一種現象，這現象的本身，又有綜卦，又有錯卦，這就是八面看東西，還要加上下一共十面，所以把老祖宗拿來和黑格爾這些人比，簡直冤枉得很。

現在我們作一個結論，唐代虞世南爲什麼說不學易不可爲將相？試想我們懂了這個背誦八卦的方法與錯綜複雜的道理以後，知道這個圖案的組織如此嚴密，告訴我們，看事情要有那麼細密的頭腦，要那麼冷靜客觀纔能把事情看清楚。明白了這些，虞世南不學易不可爲將相的話，就可以明白了。

交互卦

現在談交互卦，以䷔火雷噬嗑爲例，說明如下：

䷔火雷噬嗑，如以噬嗑卦的第二爻與第三爻第四爻卦配上去，便成爲☶代表山的艮卦，這就是噬嗑卦的互卦。又把噬嗑卦的第三爻，交到第四第五爻上去，便成爲☵代表水的坎卦，這就是噬嗑卦的交卦。再把噬嗑卦的交卦☵和互卦☶重疊起來，便成爲䷦水山蹇卦，於是我們知道，噬嗑卦的交互卦就是蹇卦，以圖示之於左：

本　卦　䷔　火雷噬嗑

交互卦　䷦　水山蹇

至於複雜，複就和綜卦一樣，是重複的意思，雜是指彼此的相互關係，六十四卦可發展到無數的卦，每一卦牽一髮而動全身，都有彼此相互的關係。

再告訴大家一個有趣的事，這六十四卦八宮卦的最後一卦是䷵雷澤歸妹，而周易卦序的最後一卦是䷿火水未濟，這就告訴我們，自宇宙開始，人生最後永遠是未濟，有始無終，沒有結論，所以學了易經，沒有人能下一個結論的。歷史沒有結論，人生沒有結論，宇宙亦沒有結論，把握到了這個哲學，研究易經的道理就出來了。

周易六十四卦的排列，并不是照八宮卦象的次序，它的排列次序，是周文王研究易經所整理出來的一個學術思想系統，後人把它編成了一個韻文的歌，叫做「上下經卦名次序歌」，幫助我們便於記憶。我們要懂易經且知道運用，上知天文，下知地理，萬事萬物都能未卜先知。上面所講八宮卦的次序要背誦得滾瓜爛熟，很要緊的，因爲易經的用處都在那裡。對初學的人背誦這些，自然很吃力，但是要學易經沒有辦法不背誦。

六十四卦的方圓圖

接下來第二個階段更加吃力，就是六十四卦方圓兩圖的研究，這是很妙的東西，我們當年學這兩個圖，沒有人告訴我們，辛苦得很可憐，在這裡我坦然的告訴大家，就很容易學了，下面這個伏羲先天卦的方圓圖很重要：

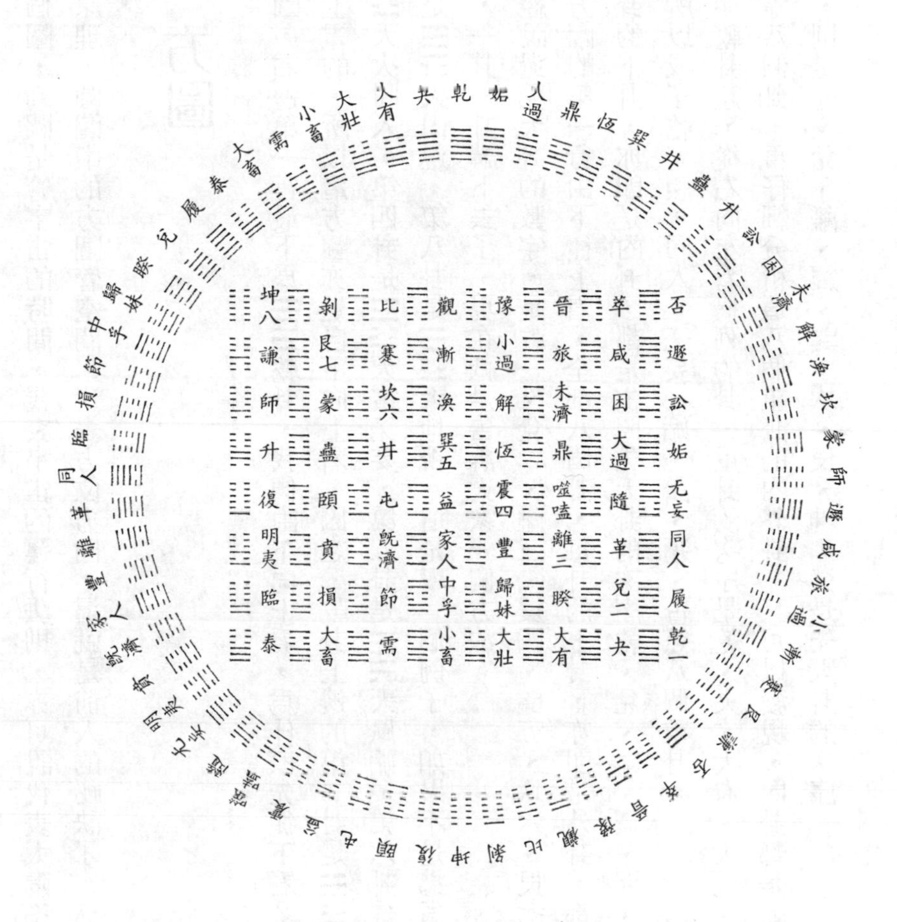

否 遯 訟 姤 无妄 同人 履 乾一
萃 咸 困 大過 隨 革 兌二 夬
晉 旅 未濟 鼎 噬嗑 離三 睽 大有
豫 小過 解 恆 震四 豐 歸妹 大壯
觀 漸 渙 巽五 益 家人 中孚 小畜
比 蹇 坎六 井 屯 既濟 節 需
剝 艮七 蒙 蠱 頤 賁 損 大畜
坤八 謙 師 升 復 明夷 臨 泰
乾 夬 大有 大壯 小畜 需 大畜 泰 履 兌 睽 歸妹 中孚 節 損 臨 同人 革 離 豐 家人 既濟 賁 明夷
姤 大過 鼎 恆 巽 井 蠱 升 訟 困 未濟 解 渙 坎 蒙 師 遯 咸 旅 小過 漸 蹇 艮 謙 否

上面這個圖，圓圖是管宇宙的時間，代表宇宙的運行法則，亦可說代表太陽系統時間運行的法則或原理，圓圖中的方圖管空間，代表方位方向，這就是前人的祕訣了。

方圖

先說方圖，右邊第一行最下為䷀乾卦，我們由下向上看，為什麼先從下看？八卦的卦爻是自下向上畫的，所以這方圖亦是自下向上看，因之，乾卦上邊的第二卦是䷉天澤履，第三卦是䷌天火同人，第四卦是䷘天雷无妄，第五卦是䷫天風姤，第六卦是䷅天水訟，第七卦是䷠天山遯，第八卦是䷋天地否。這是舉一個例子，如果不是為省時間，我就一行一行，一卦一卦講下去了，現在祇是告訴大家一個方法。

前面曾經說過先天卦的數字，是乾一、兌二、離三、震四、巽五、坎六、艮七、坤八。那麼我們從方圖的第一行由下往上看，全部八個卦，每卦的上卦，亦卽是外卦，都是天亦卽乾卦，而每卦的下卦，亦卽是內卦，都是依照先天卦的次序乾、兌、離、震、巽、坎、艮、坤配合的，所以成了乾、履、同人、无妄、姤、訟、遯、否等八個重卦。

我們再從乾卦起，從右向左看橫列的卦，重卦的次序是乾、夬、大有、大壯、小畜、需、大畜、泰等八個卦，再仔細分析這八個重卦的內外卦，又可以發現，內卦都是乾卦，而外卦從右到左，則是乾、兌、離、震、巽、坎、艮、坤，又是先天卦的次序。

如果以數字來代表，直行的乾是11、履爲12、同人13、无妄14、姤15、訟16、遯17、否18。橫列乾11、夬21、大有31、大壯41、小畜51、需61、大畜71、泰81。以圖示之如左：

六十四卦方圖數字圖

坤8	艮7	坎6	巽5	震4	離3	兌2	乾1
88	78	68	58	48	38	28	18
87	77	67	57	47	37	27	17
86	76	66	56	46	36	26	16
85	75	65	55	45	35	25	15
84	74	64	54	44	34	24	14
83	73	63	53	43	33	23	13
82	72	62	52	42	32	22	12
81	71	61	51	41	31	21	11

這個六十四卦的方圖，變化無窮，應了解這個圖，以前的讀書人學了八卦，就能未卜先知，做事遇到困擾，如有人被重兵包圍了，在沒有辦法的時候，就用這個方圖來算卦，找到最有利的方位，安全的衝出重圍。像這一類的故事，歷史上很多，祇是大家不肯講出理由在那裡來。例如在目前所處的房間內，亦可以劃分成六十四卦，而算出在某一時間，自已處在

某一方位最有利。每個地方，都有一個太極，乃至一個錄音機、一本書，都有一個太極，如這本書，從什麼時候？什麼部位壞起？都可以知道，這祇是依據一個數字，一種現象的道理，加上時間與空間的因素，就可求出答案來。因此中國古代文化的未卜先知，能知道未來的事情，祇是一種非常精密的計算方法，但是如要算得正確，還是要靠人的。

這個方圖的數字，則是這樣一縱一橫，慢慢向上走的，構成如此錯綜複雜的關係。可是亦同時告訴我們，宇宙間的萬事萬物，看來是非常複雜，但懂了易經以後，從易經的觀點，任何亂七八糟的事物，都有它的法則。換句話說，懂了易經原理以後，去待人，去做事，遇到最複雜的問題，也不會看成複雜了，而是能找得到它的關鍵，在關鍵上輕輕一點，問題就解決了。不懂這個原理，越做就越糊塗，就像這方圓圖一樣，覺得很亂。

圓圖

圍繞在這個方圖外的圓圖，亦是六十四卦，要從那裡開始看起？這更麻煩了，等於我們的羅盤，到處都是八卦，不知道上面有些什麼名堂，其實這亦是一個法則問題，圓圖是代表時間，和代表空間的方圖配起來，某一空間在某一時間會起作用。譬如一家工廠，一天出品一萬隻杯子，其中的某一隻剛剛賣到某一地方，在某一天剛剛斟茶給某一來訪的元首喝，那麼這隻杯子很神氣，而另外的杯子，賣到另外的地方，也許用來放髒的東西了。這個「說不定」的當中，實際有固定的法則，就在這方圓圖中轉。

那麼這個圓圖的六十四卦，是用什麼方法排列起來的呢？我們看圓圖上面頂端左邊的第一個卦是䷀乾卦，再看最下面右邊第一個卦是䷁坤卦，在這乾、坤之間有一條線，代表夜間天空中的銀河，亦代表地球南極、北極的磁場，然後再來排列圓圖，首先用方圖最下面的第一橫列的：乾、夬、大有、大壯、小畜、需、大畜、泰等八個卦，依次序放到圓圈的頂端，從中間開始，順原次序向左排列。第二步，又將第二橫列的履、兌、睽、歸妹、中孚、節、損、臨等八個卦中的履卦，緊接在泰卦之後，依原次序排列下去，然後將第三、第四橫列的每個卦，都照這個方法向左排列，最後復卦緊靠在中線下端的左邊，排列成左邊的半個圓圈，這是第一個步驟。

然後第二個步驟，排列右邊半個圓圈，排列的次序又不同了，是怎樣地排列呢？現在不是從第五橫列開始，而是從第八橫列排起，將否、萃、晉、豫、觀、比、剝、坤等八個卦，以逆次序接在復卦的後面，亦就是仍以反鐘面的方向，排成復、坤、剝、比、觀、豫、晉、萃、否的次序，但要特別注意的，如果是畫卦，還是要內卦畫在內圈，外卦畫在外圈，切不可錯。第八橫列排好以後，再用第七橫列，照第八橫列的排法排下去，以謙卦接在否卦的後面，成否、謙、艮、蹇、漸、小過、旅、咸、遯的反鐘面次序，第六橫列，第五橫列，都是這樣，最後第五橫列的姤卦，剛剛又接到了最初始的乾卦，就完成了這個圓圖的排列。以前的老師，都不肯把這方法說出來，或者他們自己亦不知道，可是學的人，苦頭卻吃大了。現在告訴大家，就一目瞭然，懂了這個法則，將來除了用電視或電腦以外，對於宇宙萬象，都可運用這種易經的法則，而過去教易經的那種教法，會使人困在裡面一生亦出不來，有的人學易經學得眞好，可是不知道運用。

我們在學易經以前，先要把這幾個東西弄好，然後再開始講解理論方面的，現在我們暫不研究這些。

京房十六卦變

現在講卦的變化方法，這方法用之於卜卦，事情的預知，最早是在漢朝的京焦易，由焦贛傳給京房這一系統，後來演變成各家的卜法，而京焦易這一系統，也是來自孔子，孔子著作周易的繫傳等十翼以外，又傳易經與商瞿，史記載商瞿爲魯人，但四川人說他是川人，所以四川人有「易學在川」的口號。孔子死後，子夏講學河西，亦講易經，當時一般同學們，認爲他沒有得夫子之道，所謂易理還可以，用的方面則不知道，所以不贊同他講，而子夏還是照講不誤，就有同學問他明天的晴雨，子夏說晴，而結果和現代的氣象臺一樣偏偏下雨，可見易的傳人還是商瞿。歷史上記載商瞿四十歲還沒有兒子，商瞿母親很難過，就去問孔子，孔子叫她不要難過，告訴她商瞿在四十歲以後，會有三個好兒子，結果一切都如孔子所說，所以孔子所傳易經的用，自商瞿這個系統，一直下來，到了漢朝，就演變成京房的系統。不過京房當然不如孔子那麼高明。

現在介紹京房易變，京房的易變名十六卦變，後人把他歸納起來成爲四句話：「自初至五不動復，下飛四往伏用飛，上飛下飛復本體，便是十六變卦例。」我們以乾卦爲例來說明：乾卦，第一爻變爲天風姤䷫，第二爻再變爲天山遯䷠，第三爻再變爲天地否䷋，第四爻再變爲風地觀䷓，第五爻再變爲山地剝䷖，第六爻不能變了，如再變成爲坤卦就變完了，所以第六爻不變，因之第六爻在用的方面是不動的，這不動的第六爻，便成爲宗廟，在京房易的法則之下，第六爻爲宗廟，這是比擬爲古代宗法社會的祖宗的宗廟，是最高的來源，不能動的。假使用之於堪輿看風水，這就難了，一般都知道，左青龍，右白虎，前朱雀，後玄武，一定很容易，但事實并不那麼簡單，要看風水的原始祖宗在那裡？就是把風水看成一條龍，要看山勢地形的來源，有所謂始祖、高祖、曾祖，然後纔成爲這一個地方，而卦變中宗廟的道理亦是如此，所以變到五爻，第六爻不變。在周易八宮卦裡，山地剝之後爲火地晉䷢，這個火地晉，就是第四爻，亦卽外卦的第一爻又變了，這種變卦的現象，我們也曾經說過一般人稱爲遊魂卦，而在京房易中，這一爻的動，叫作「下飛」，這樣一介紹大家就清楚了，如果不加說明，從書上看，這個「下飛」問題就搞不通，什麼上飛下飛的，從那裡飛往那裡，無法懂得。所謂下飛，實際上是上飛，從下往上飛，上飛是從上往下飛，看易經方面的古書，各家有各家的術語，讀起來就往往被這些術語擋住了，通不過去，如下飛，在想像中一定是飛初爻，怎麼跑到四爻上來了？「下飛四往」第四爻動，就變成火地晉。在這種地方就要看孔子的易理，像繫傳上孔子所說的：「易之為書也不可遠，為道也屢遷，變動不居，周流六虛，上下无常，剛柔相易，不可為典要，唯變所適。」（易繫傳下第八章）易經這本書是我們人生中隨時隨地用得到，不可以遠離的書，但是這個法則變動得很大，如以呆板的頭腦認定一個固定的法則去學，那就不易懂了。易是活的，儘管懂了他的這些法則，可不要被這些法則拘束住。今日學了京房易，也不一定非學京房易的辦法不可，他京房可以創造，同樣自己也可以創造，卜卦如此，卽領導方面，做人方面，等等方面，亦是如此。「爲道也屢遷」，要曉得變，不會變沒有用，智慧是非常靈活的，易經的法則在應用上是「變動不居」的，沒有呆板的停留在某處，如卜卦一有動，這個動態如何變化，需要研判，需要了解，做人做事，一開頭知道了前因，亦就知道了後果，人事社會的法則亦永遠不會停留的。「周流六虛」，六虛就是六爻，就是六位，東、南、西、北、上、下。人事一切變動，與時間、空間都有關係的，所以「上下无常」沒有固定的，剛柔亦是互相變易的，不可看作是固定非如此不可，唯有知道怎樣變，才算是知道了易經，也才會用易經。

從繫傳看京氏十六卦變

京房的卦變，我們也可以從繫傳中看出一些端倪，現在我們摘要說明如下：「其出入以度，外內使知懼，又明於憂患與故，无有師保，如臨父母，初率其辭而揆其方，既有典常，苟非其人，道不虛行。」（易繫傳下第八章）這和京房易的變卦有非常重要的關係，一出一入，有非常固定的法度，雖然在變，可是在變的當中，還有不變的法度。外變、內變，使人知道懼怕，人生都是在小心謹慎中。每種宗教哲學，看人生，看世界，一點一滴都要小心，天天在憂患中，天天在恐懼中，為什麼有許多事情，不動則已，一動便會招來痛苦與煩惱！當你懂得了易經就可以知道是怎麼一回事了，就像一個宗教家。「无有師保」，誰也保不了你，「如臨父母」祇有自己保佑自己，隨時戰戰兢兢，知道時、空、每樣都在變，所以一切事隨時隨地要有宗教家的精神，像在上帝、菩薩面前一樣嚴肅的警惕自己。易經的哲學沒有迷信，可是有宗教家絕對嚴肅的精神。如何未卜先知？甚至不需要卜卦，對於前因後果，都瞭然於心呢？「初率其辭而揆其方，既有典常，苟非其人，道不虛行。」我們一開始率爾讀這些易經上的辭句。——由文王、周公、孔子他們研究過的結論，所告訴我們的辭句，先要瞭解這些辭句的意義，然後再進一步的推理，去明白他的意向與方位、方法，知道一切都是在不斷變易之中，而一切的變易，并非亂動亂變，而是循了一種固定的法則而變的。如何去找到這一固定的法則，還是要靠各人自己智慧的成就，成就了這種智慧的人，就可以得到未卜先知的道理，因為道是不虛行的。

說到京易的變例，我們提出這段繫辭，來說明變例并不是隨便任意來變的。

繼續來談卦變，下飛四爻，變成火地晉遊魂卦後，依八宮卦的變法，下面是最後一變——內卦三爻全變，成為火天大有䷍卦，但京房十六卦變的變法，則不相同，京易是到了遊魂卦以後，下飛三爻變，成了火山旅䷷，這名爲外在卦，剛才提出孔子在繫傳中所說的外內使知懼，就是這個外在，至於外在的道理，如做一事業，隨時都在戰戰兢兢，在成敗之間，有時是內部起問題而發生變化，有時是外面起問題而發生變化。下飛第三爻是外在卦，然後再下飛第二爻，成爲火風鼎䷱，這個卦爲內在卦，下飛初爻再變，亦成了八宮卦變的歸魂卦，爲火天大有䷍，這是第一次的變，實際上亦是第二次變，因爲八宮本身有一個變法，那不去管它。現在是八宮卦變到遊魂，然後到外在、到內在、到歸魂，這是乾卦變到這裏爲止，以後見到這些卦，就知道是由乾卦來的。在這以後還要變，爲什麼還要變，因爲還沒有返本還原，所以還在變，要向回轉來的路上走，回轉來的變，「不變上飛（第二爻）爲絕命」是絕命卦，例如卜到乾卦，剛剛二爻在動和五爻在動，於是乾卦一變變成了離卦，是絕命卦，假使問一件事，這是很危險了。乾卦本身不錯，可是內外要大變動，這個變動可使失敗到底，如果說卦上說了要失敗到底，就此聽任不管了，這就不是學易經的人，前面引敍繫辭下傳第八章，孔子說了「道不虛行」，還是要靠人，所以不要走上迷信的路。易經告訴我們，得意到極點，失敗到極點，并不是絕對沒有路，看自己的智慧如何走，絕命卦祇是一個警戒性。我們再回轉來看乾卦的二爻和五爻是好的，并沒有錯，還有救，再上去第三爻變爲火雷噬嗑卦䷔，名爲血脈卦，亦等於後世卜卦人所說的，「後代子孫血脈留傳，衍變綿續」，以京房易的卦變例子來說，這是乾卦的血脈流傳；再上去第四爻變，爲山雷頤卦䷚，名爲肌肉卦，再上去第五爻變，爲風雷益卦䷩，名爲骸骨卦，再下飛又是第四爻開始變，為天雷无妄䷘，名為棺槨卦。再下飛第三爻變，為天火同人䷌，名為墓庫卦，後世算命的所謂墓庫運等名辭，都是由這裏來的。再下飛第二爻變，為乾卦，還原，一共有十六變，叫作飛復。一飛一復，所謂飛，就如撥電話一樣跳了，就是告訴人事有突變的現象。

現在把乾卦十六變的卦名依次記在這裏：

乾、姤、遯、否、觀、剝、晉（遊魂）、旅（外卦）、鼎（內卦）、大有（歸魂）、離（絕命）、噬嗑（血脈）、頤（肌肉）、益（骸骨）、无妄（棺槨）、同人（墓庫）、乾（還原）。

京房十六卦變表

卦象	卦名	說明
䷀	乾	
䷫	姤	第一爻變天風姤
䷠	遯	第二爻變天山遯
䷋	否	第三爻變天地否
䷓	觀	第四爻變風地觀
䷖	剝	第五爻變山地剝，六爻不變為宗廟。
䷢	晉	外卦第一爻又變為火地晉，名遊魂卦，京氏叫下飛，就是所謂的「下飛四往」。

旅　下飛三爻變火山旅，名外在卦（八宮卦至此變火天大有）。

鼎　下飛第二爻變火風鼎，名內在卦。

大有　下飛初爻再變為火天大有，名歸魂卦（八宮卦變到此為止），以下的變要向回轉來的路上走。

離　不變上飛（二爻變）為離，名絕命卦。

噬嗑　再上三爻再變為火雷噬嗑，名血脈卦，即京氏的血脈流傳。

頤　再上四爻再變為山雷頤，名肌肉卦。

益　再上五爻再變為風雷益，名骸骨卦。

无妄　再下飛第四爻變為天雷无妄，名棺槨卦。

同人　再下飛第三爻變為天火同人，名墓庫卦。

乾　再下飛第二爻變為乾，還原。

其他坎、艮、震、巽、離、坤、兌等十六卦變，也都同乾卦一樣。

京房卦變與人生

這種十六變卦，又說明了一個道理，由遊魂、外在、內在，到歸魂告一個階段，也就說明了人生的程序，如以乾卦比人生，十歲到二十歲爲天風姤很好，二十歲到三十歲爲天山遯，事業一帆風順，年齡步入中年，三十到四十歲爲天地否，差不多了，眼睛快老花了，快腰酸背痛了，四十到五十歲更變了，到了六十歲則是山地剝了，六十以後遊魂之卦，靠後天打坐、練太極、瑜伽術、吃補藥等等培養，到底不是本命的力量，遊魂卦弄不好，就火天大有，進入歸魂，如果搞得好，中間還可以變外卦內卦，所以人生到了這個時候，要曉得外在、內在的因素，如果還不能自知，而認爲自己尚在天風姤卦的階段，還想張揚得意，什麼事都幹的話，說不定一下子就到墓庫去了，最後回到本體，就進入宗廟，到祠堂裏放木頭牌子（靈牌位）了。或者走得不好，就絕命來了，雖然絕命了，但這裏又看到中國的人生哲學，人到絕命完了，但後面的還有流傳下去，有血脈、肌肉、骸骨流傳下去，最後返本還原，這是非常有趣的，亦非常清楚的說明了人生哲學，所以中國文化的人生哲學，對於生死并沒有看得很嚴重。於是中國人產生了老師傳徒弟的制度，過去一個老師找到了好徒弟，把所有本領學問都教給徒弟，然後老師自己很高興，認爲這個徒弟就是將來的自己，徒弟的成功，亦是自己的成功，西方文化可沒有這種精神，這種血脈子孫的觀念，就是中國文化的精神長存不死。

京房卦變的用法

以上已介紹了京房的十六卦變，至於如何用呢？其大要是這樣的：「占者遇：變入本宮卦者，災福應十分。外戒卦：吉凶從外來。內戒卦：禍福從內起。骸骨卦：生則羸瘦，死不葬埋。棺槨卦：病必死亡。血脈卦：主血疾漏下。絕命卦：事多反覆，為人孤獨，不諧於俗。遊魂、肌肉卦：精神恍惚，如夢如痴。歸魂、塚墓卦：墳墓吉，而無事可成也。」

這是京房易十六變卦的用法，我很誠懇地說，我是不喜歡這一套的，雖然研究，雖然懂，可是一生也不用它。我相信人類智慧的神靈是不靠這些外力的，我反對大家去用，再三再四提醒大家，不要迷信，迷信沒有意思。經常有人問起京房易判斷的大原則，順便介紹一下，不過要用的時候，大家不要這麼呆板，譬如第一句話裏的「占者」就是指卜卦的人，遇到變卦，卜卦一定有變卦，除非六爻不動，安定的卦用本卦的卦辭來判斷外——

第一個變卦入本宮的，災與禍應十分，就是十六變卦，最後動爻一變還是乾，就進入本宮卦，如果壞是十分的壞，好亦十分好。

外戒卦則不同，要看動爻的關係，吉凶是從外來的，譬如卜問房子，如是外戒卦好，這好是外來的，意想不到的；壞的話，說不定一架飛機掉下來，把整個房子壓垮，不是本身的問題。

內戒卦碰到禍福從內起，從本身起來的，或自己家裏，或公司內部發生問題。

骸骨卦是對人的看法，生來瘦，瘦得過分，有病的瘦，叫作羸瘦。死不葬埋，死了連一塊墳地都佔不到，死無葬身之地。

卜到棺槨卦，如果是生病問卦，得到這個卦，就不要考慮痊癒的問題了。

血脈卦，若生病就要開刀，或者外傷，或者要見血等。

絕命卦，做事情反反覆覆，很難滿意，如果看人的命運，一生都是孤獨的，而與別人合不來。

如果是遊魂卦或者肌肉卦，對於人而言，一輩子頭腦昏聵，精神恍惚，如夢如痴。

假使卜到歸魂卦或塚墓卦，除了安葬是好以外，其它免談，都是不好的，人算命如走到墓庫運了，還有什麼好說的。

這是京房卜卦的看法，與其他各家不同，凡是從京房演變出來的，我素來都喜歡、都研究，但從來不用它，所謂善於易者不卜，我雖對於易的研究不怎麼高深，但是我個人不喜歡依靠這些。

先知——邵康節的毛病

這十六變，先記住，以後看古書，讀到這些問題就不會受罪了，現在介紹出來，好像滿容易的，但自己去摸出來時，很受罪、很討厭，而且古人研究易經有一個毛病，大家都不肯明白說清楚，也許和我們現代的人一樣，研究了很久，明白了以後，覺得自己苦了好多年，不願意讓別人一下子就會，把所了解的當成祕訣，不告訴人，每個人留一手，留到後來，就糟了。或者故意新創一個名稱，換一個花樣，使人不懂，跟着他轉，說不定白轉多少年下去，也沒有結果，就如大家崇敬的邵康節先生，我經常罵他是騙人的，他算歷史命運，算得眞準，可是怎麼樣算法？這方法找不到，他把這個鑰匙藏起來，不告訴人，如果把這鑰匙一開，就沒有什麼了不起。可是話說回來，他也眞值得尊敬，他可以把孔子以後古人們的各種法則融匯在一起，構成一套完整的法則，的確是了不起的。可是我常常說我對易經僅只玩玩，不願深入，我怕深入了成爲邵康節，他五十九歲就死了，而且一年到頭都生病，風一吹就垮，夏天外出，車子外面還要張掛布幔，還要戴帽子，一年四季要天氣好才敢出門，因爲用腦過度了。歷史上他的傳記列爲高士，皇帝再三請他出來當宰相，他說：「何必出來做官，現在天下太平，有好皇帝、好領袖、好宰相，像這樣的時代，不需要我出來。」所以我說充其量學到邵康節那樣，能未卜先知，又如何呢？所以我不幹。大家要注意，眞通易的不需要這樣幹。一般人學佛，學自在，觀自在，學道的如莊子說逍遙，既不逍遙又不自在的事，我才不幹。人生就是求逍遙自在，身體健康很舒服，活着就痛痛快快、健健康康，要走就乾脆，不拖累兒女朋友，也不拖累自己。像邵康節那種生活多苦，傳記上看到那麼清高，但在我看來他卻很苦，可是在歷史上一般懂易經的人，能未卜先知的都不健康。易經要學通，智慧頭腦要爽朗，如不爽朗被困進去，就變成蝸牛了。

五行思想的起源

易繫傳中說到「剛柔相推而生變化」，我們先要認識另一個東西，才能對這句話有更深入一層的認識與瞭解。以易經來說，站在中國學術發展史的立場看，五行和易經，根本沒有關係。可是現在要瞭解易經的法則，在占卜方面，則有其密切的關係。占卜等數術方面的體系，就是用八卦、五行、干支配合起來，去做推算。我們手上的易經，在所謂秦始皇燒書的時候，和醫藥方面的書沒有被燒掉，根據歷史上的記載，易經被認爲是卜卦的書，和廟裏求籤的籤詩一樣，無關閎旨，所以沒有被燒，因此五經的流傳，古本面貌保留的最多，內容也以易經最爲可靠。但在這一本書裏面，并沒有提到五行，祇有在尙書——書經裏洪範篇中，稍稍提到一下，但亦并不一定如後世那樣說法，這始終是一個大問題。

近代以來，一般懷疑中國文化的學者，認爲五行是漢朝、至少是秦漢以後人所假託，這是研究中國文化發展史的立場的一種看法。其實五行和陰陽的關係，我們看到戰國時代一位歷史上有名的學者陰陽家鄒衍，這個人學問非常好，在當時他比孟子以及諸子百家的威風都更大得多，試看孟子到齊國去見梁惠王的情形，眞是可憐得很，「王曰：叟，不遠千里而來，亦將有以利吾國乎？」梁惠王對孟子那股神氣，一點也看不起孟子，開口就說：「老頭！你來找我幹嗎？」就是這個味道。可是鄒衍一到齊國或其他國家，場面便大不相同了，國家的大員，乃至皇帝，無不親自招待，等於現在國際知名的大科學家，到了任何一個國家，都受到盛大的歡迎一樣。我們讀史記，讀到這些地方，要特別注意，不要被騙了。後人寫歷史，往往沒有把這些重點強調出來，祇照寫史人的看法寫，這就使後人對當時的歷史，產生錯覺，就像鄒衍一樣，鄒衍每到一國家，都大受歡迎，而且帶了一大群人。孔子周遊列國，也帶了一大群學生，可是有時連便當都弄不到吃，而鄒衍每到一個國家則是吃不完的宴會，可見他在當時的影響有多大。鄒衍是道家、陰陽家，他到底在各國講了些什麼？我們不知道，因爲歷史上找不出證據。但是他留下了一點東西，他當時就說天下有九洲，中國是九洲中的一洲爲神洲，他這個說法是怎麼來的？決不可能坐了飛機環繞地球一周看見的，現在我們才知道地球有八大洲，而他當時就知道了，所以他的思想學說，當時震動了各國，以科學的理論指導了政治的原則，我們假使看思想史的發展，這些地方不要忽略了。但是在當時歷史上，也找不出講五行的資料。再退回來看，近年發現的甲骨文上，亦沒有五行的名辭。在我個人的看法，易經文化，是由中國上古時代的中原文化發展而來，是山西、河南這一代的文化。在上古時代，文字、言語還沒有統一，不像秦漢以後的國家，當時每一地區、每一民族，有他自己的文化。如華中南的楚國，有楚國的文化，孔子文化是繼承了魯國文化的系統；道家文化是繼承了齊國文化的系統。那麼陰陽五行的文化，可以說比易經的文化，亦即中原文化還要更古老一點，可能是黃河下游，北平、河北這一帶的文化，如黃帝、伏羲這一時代的文化一樣。所以研究上古的文化思想史，是一個很大很艱難的工作。幾千年來，歷代學者作了那麼多分類的努力，乃至現代也有人研究了半輩子，還是搞不清楚，這是我個人的看法，這看法也不一定對，僅供作參考而已。假使沒有弄清楚這個觀念，而把中國上古傳統文化亂扯一陣，那就牽涉太大了。

什麼是五行

五行的文化，所謂五行，就是金、木、火、水、土。現在研究它第一個要注意的，假使算命先生算命，把行認爲是走路，那就絕對錯了，我們看乾卦象辭的「天行健」這句話，這個「行」是代表運動的意思，就是「動能」，宇宙間物質最大的互相關係，就在這個動能。這個「動能」有五種以金、木、水、火、土作代表。亦和卦一樣，是一種符號，不要看得太嚴重了。所謂「金」并不是黃金，「水」亦并不是和杯中喝的水一樣，千萬不要看成了五行就是五種物質，上古文化的五行：金、木、火、水、土，就是現代的地球文化，地球外面的五星，對我們的關係很大，現在先解釋這五個字。

金，凡是堅固、凝固的都是金，上古時不像現代的科學分類，當時對於物質世界中有堅固性能的，以金字作代表。

木，代表了樹木，代表了草，代表了生命中生的功能和根源。草木被砍掉以後，祇要留根，第二年又生長起來，白居易的詩：「離離原上草，一歲一枯榮，野火燒不盡，春風吹又生。」這就是木的功能，生長力特別大亦特別快，木就代表了生發的生命功能。

水，代表了流動性，周流不息的作用。

火，代表了熱能。

土，代表了地球的本身。

所以稱他們爲五行，是因爲這五種東西，互相在變化，這個物質世界的這五種物理，互相在影響，變化得很厲害，這種變化，名叫生、尅。

五行的生尅

說到生、尅，我們研究易經，都知道綜卦，綜卦就是告訴我們世界上的事物，都有正反兩個力量：有生，有尅。生尅是陰陽方面的說法，在學術思想上，則爲禍福相倚，正與反，是與非，成與敗，利與害，善與惡，一切都是相對的互相生尅，如姜太公流傳下來的道家經典「陰符經」，便說過「恩生於害」這句話，舉例來說，像父親打兒子，兒子挨打很痛，這是「害」，但目的在把孩子教育成人，這就是「恩生於害」，領導人對部下亦是如此，這句話的意義很深。中國鄉下人有句老話，送人一斗米是恩人，送人一擔米是仇人，幫朋友的忙，正在他困難中救濟一下，他永遠感激，但幫助太多了，他永不滿足。往往對好朋友，自己付出了很大的恩惠，而結果反對自己的，正是那些得過你恩惠的人，所以做領導的人，對這點特別要注意，一個人的失敗，往往失敗在最信任、最親近的人身上。歷史上這種例子很多，這種人并不一定要存心害對他有恩的人，像拿破崙在兩個人的心目中，被認爲他不配當英雄，一個是他自己的太太，一個是他的一個老朋友，因爲太親近，相處太久了，就有不同的觀念，在不知不覺中，會做出一些有害的事來，這都是恩與害，往往互爲因果的關係，所以「恩生於害」這句話很重要。而它的原理，亦卽來自生尅的法則，生人者亦尅人，恩與害，兩個對立相存，沒有絕對的一方。現在青年人講戀愛亦知道，愛得愈深，恨得亦愈深，這亦就是「恩生於害」的原理，亦是生尅的法則。關於五行的生尅道理，可以用下面這兩個圖案來表現：

五行相生圖

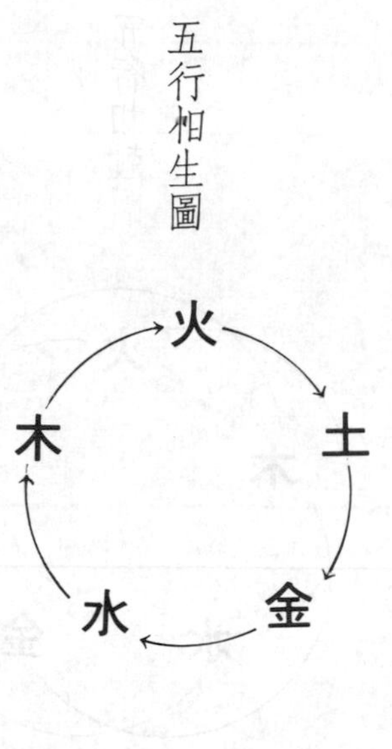

圖上的箭頭是表示相生的，就是依時鐘的方向順序，依次而生，成爲木生火，火生土，土生金，金生水，水生木。

五行相尅圖

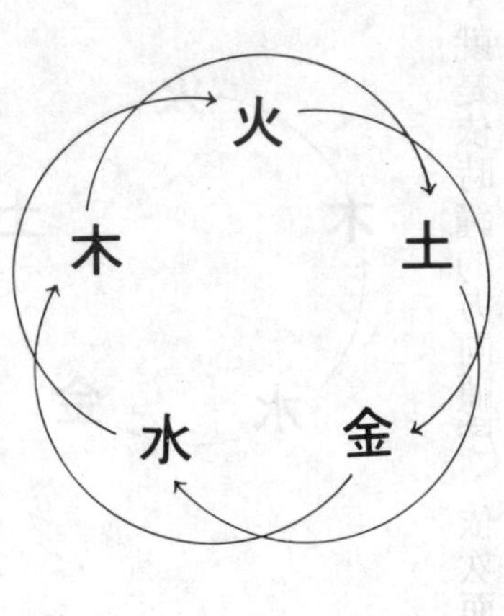

圖上的箭頭是表示相尅的，五行的位置，和第一圖相同，箭頭所指的方向，也還是順時鐘方向，所不同的，相生圖的箭頭，是指向緊靠自己的鄰居，而相尅圖的箭頭，是跳了一個位置，指向隔鄰的位置上，於是成了木尅土，土尅水，水尅火，火尅金，金尅木。

五行的方位

上面的兩個圓圖，祇是便於說明五行相互生尅的關係，而五行所處的方位，并不如上圖，而是像下面的這個圖：

五行方位圖

金

火　土　水

木

上面這個五行方位圖（必須要記住的），爲東方木（請特別注意，圖中的方位，是以易經的方位爲準，不是現代畫地圖的方位）西方金，北方水，南方火，中央土，這個方位非常有道理，我們在明朝時亦開礦，當時并沒有地質學，怎麼知道何處有礦，固然有的是當地的居民發現的，但大多數是靠八卦五行的道理，來判斷五行的中心。西方金，在西藏，越到西方，藏金越多。東方木，植物易生發，早受陽光陽能。南方火，氣候炎熱。北方水，冰雪最多。初看好像五行方位很亂，再作仔細觀察，不能說它沒有理由，古人怎樣發現這個法則呢？以金爲例：

金生水，千字文——這篇文字很妙，以一千個不同的字，寫成了這篇文章，把天文、地理、物理、政治等等，都容納進去了，幼年讀來好像無所謂，實在是一篇很偉大的著作，其中有一句「金生麗水」，這個麗水不是浙江的麗水縣，麗水是形容水多，凡是藏金的地方，一定是雨帶地區。我初到臺灣時，看見有金銅礦務局，問起產金的地方在金山、瑞芳一帶，我說那裏的雨量一定很多，果然基隆、金山、瑞芳一帶常下雨，這就是「金生麗水」，藏金的地方雨水多。

金尅木，當然砍木頭要用鐵器，或用鋸子去鋸，這還不足爲奇。在古代，假如門口有一棵大樹，認爲風水不好，而又覺得砍伐麻煩，不如讓它自己枯死，就用一枚大鐵釘，打到樹的中心，這棵樹很快就枯萎了，這就是金尅木的現象。

另外一個哲學的道理，例如金生水，在古代就說：「水者金之子。」水是金的兒子，於是水生木，木是水的兒子，木生火，火是木之子，火生土，土是火之子，土生金，金又是土之子。

尅則是隔代相尅，從前有一個笑話，一個祖父打孫子，可是他的兒子看到了，便打自己耳光，這位打孫子的祖父問兒子爲什麼自打耳光，他兒子說：「你可以打我的兒子，我怎麼不可以打你的兒子？」這亦近於五行相尅，事實亦是如此。所謂隔代相尅，逢三必變，這是一個法則，在生尅之中，恩生於害，害又生恩，以軍事哲學來說，一次大戰之後，可以促進人類文明的進步，所以有時覺得戰爭幷沒有什麼可怕，等於理髮，頭髮長了，剃剃就漂亮。有許多講軍事哲學的朋友，就以這種五行生尅的法則來講，亦言之成理。物理的法則亦然，須到了一個時候，必要清理一下，才能創造出更新的事物，這是宇宙的法則。五行的方位，對我們研究物理，關係很大，大家一定要記住。

天干與五行

五行之外，還要加上干支，要學易經的卜筮，沒有什麼祕訣，不外是五行卜筮，重點在五行，不是在八卦。眞用卦來斷事情，又是另外一個體系，所以嚴格說來，五行和八卦兩種體系是分開的。但幾千年來，大家都把它混合在一起。

現在介紹的是天干文化，天干文化亦很古老，我們研究易經發展史、中國文化發展史，知道天干文化也比周易古老得多。天干地支，我們現在可以從甲骨文裏找出來，可見這個文化的來源很早。中國人發展最早的是天文，發展到最高級的時候，就歸納起來，用十個符號作代表，這十個符號就名天干，亦作「天幹」，不過「天幹」是漢以後用的名辭，其實應該用「天干」才對，不必用「天幹」這個辭。天干就是五行的法則，意思是說：在這個太陽系中，地球和外面的星球，彼此干擾的作用，以現在的地球物理學來說，就是地球和各個星球的放射功能，彼此吸收互相發生作用，例如太陽能的放射，對我們地球人類的干擾很大，尤其學通訊、電子、太空學術方面的人都很清楚，而我們中國老早就瞭解，對於這種天體的運動、物理世界的運動，用木、火、土、金、水來代表，說明相生相尅的道理。但人類文化進步了，這個五行的生尅法則不夠用，因此我們的祖先，發現了五行的雙重作用，天體在物理世界中，又用了十個字的符號，爲甲、乙、丙、丁、戊、己、庚、辛、壬、癸，幷編定圖案如下：

丙丁　庚辛

戊己

甲乙　壬癸

天干五行配

看到上面的圖案，和前面五行的方位圖案配合起來，就可以知道，東方甲乙木，南方丙丁火，西方庚辛金，北方壬癸水，中央戊己土。

這裏要問，東方或木，都是一個方位或一個動能，爲什麼要用甲和乙兩個符號來代表？這中間又有另一個法則，這套法則在中國的算命卜卦上很用得到。假使爲了算命而學算命，我不贊成。但我發現，中國算命卜卦的這套法則，裏面包涵了很大的科學和哲學的道理，可惜因爲我們古代的政治思想，不願意發展科學，所以這一套很好的法則，祇好向算命卜卦這一方面發展。不過好在有江湖算命卜卦的人，能夠把這一套法則保留下來，從另一角度看，他們亦的確很偉人。所以有人說到算命卜卦是迷信，我就問他們懂不懂，而他們卻不懂，對於自己所不懂的東西，隨便加一個罪名，指其爲「迷信」、爲「騙人的」，這是多可怕的武斷。這一套法則流傳了幾千年，而眞正研究它的，都是第一流聰明人，試想想四千年來第一流聰明的人，都在研究它，卽算它能騙得了人，也有它騙人的道理，我們要批評它，不妨先研究它騙的方法，等研究過了，再說它是迷信，這時才可以作結論。自己幷沒有研究過，還不懂它，就說它是騙人的迷信，這才是眞正的迷信——迷信自己的狂妄。可惜現在沒有人重視它，沒有大量的投資，沒有充分的實驗設備和場所。否則的話，如果加以實驗，可以發現這項法則，會有很多科學的道理，譬如說飛機，在我們戰國時候就有飛機，不過是不坐人的無人飛機，用木料製造。晉朝時候亦有人製造成一個鳥，放出去以後，不需人控制，會在空中飛翔，到一定的時間，又會在原地降落，這在歷史上都有證據的。就是現在還保存的中國樂器和一些器皿，如銅壺滴漏等等，都是依據這套法則發明製造的，而當時幷沒有現代的科學公式，祇是當時沒有用這套法則向科學這方面發展。爲什麼中國古代沒有用這套法則作科學的發展？這也有他的道理，因爲物質文明愈發達，人的慾望就愈高，人的慾望愈高，社會就愈亂，這是中國的人文思想。

天干的陰陽

但是這一套法則，是來自科學的，如東方木，又爲什麼用甲、乙兩個字來代表？而成爲甲木和乙木呢？甲木是代表生長的原素，乙木是成形了的代表，換言之甲木是代表生發的物理，乙木是代表成形的物質。丙與丁亦是如此，丙是代表火的原素，丁是代表成形的火，戊己、庚辛、壬癸都是如此。而這中間又分陰陽，如甲木爲陽木，乙木爲陰木，丙爲陽火，丁爲陰火，庚爲陽金，辛爲陰金，壬爲陽水，癸爲陰水，戊爲陽土，己爲陰土。如中國醫學，在內經上女人的第一次月經來，我們古代認爲直接說出女人的隱祕很不禮貌，所以說「女子十四而天癸至」，爲什麼不說「天壬」至？因爲月經是成形了的水，同時女子屬陰，所以稱爲「天癸」，如果把這套東西融會貫通起來，就可以發現它幷不是迷信，而是科學，至少是古代的中國科學，而且這種科學在人類的文化中，還維持了這許多年。

說到天癸，便涉及中醫了，對於人的身體而言，現在最流行的針灸，有一本書名「甲乙經」，許多人亦沒有弄清楚，中醫對於人身各部位的代表爲木屬肝，火屬心，金屬肺，水屬腎，土屬脾。這個五行和內臟的關係現在懂了，那麼金生水，肺出了問題的時候，腎一定虧，所以生肺病的人，臉紅紅的，而是腎水不足，火氣上升，肺病到了相當嚴重，腎盂就特別擴大，就是腎虧，所以中醫之難學是除了講究內臟的個別功能以外，還講究互相影響的生理功能和病理因素，亦就是生尅的道理。而西醫則是頭痛醫頭，腳痛醫腳，頭痛祇是病的現象，不是病的根源，因爲生尅的關係，任何一個內臟，都可以產生頭痛的病象，所以高明的中醫講究氣化，如患糖尿病的人，是屬腎水的病，但一定與心火有關係，心臟亦會受影響，發生問題，這就是五行生尅的道理，（這裏特別要補充一點，五行的生尅，每一「行」都與其它四「行」有關，如「土」、是生金的，尅水的，但亦被火生，被木尅。）所以中醫能站得住，針灸亦是一樣，中醫的醫理，病在上者治其在下，病在下者治其在上，病在左者治其在右，病在右者治其在左，病在內者治其在外，病在外者治其在內，譬如中醫說肝生於左，而西醫指責錯了，其實中醫一點沒有錯，因爲中醫不是講物質形態，而是講氣化，中醫說肝生於左，是肝屬木，木在東方，東方在左，這是五行生尅的氣化，所以肝生於左是對的。由此可知人必須讀黃帝內經，懂了黃帝內經就懂得養生之道，亦懂得如何修道了。

地支

五行和天干配合，包涵了這許多，再下來配合地支，便又不同了，地支有十二個：子、丑、寅、卯、辰、巳、午、未、申、酉、戌、亥。地支有人寫作「地枝」，表示幹的分叉，其實就是「支」，支持的支。地球本身的作用，亦就是在太陽系中，月亮和地球發生的作用，節氣的關係作用，後面再詳述。

先在這裏介紹，中國古代的醫學有兩大派，在養生之道上，一派注重腸胃，一派注重腎。所有的病，大部份從腸胃來，不過我的經驗，南方的醫師注重胃，年紀大的人尤其要注重腸胃。北方的醫師注重腎，年輕人亦要注重腎的保養，青年腎虛，到中年以後，一切病象都來了，性知識教育愈開放，青年人的病害愈多，原因是腎虧，必須要保重。

關於地支這一套東西，如果祇研究周易的學術思想和大的原理原則，則不必要研究五行和干支。如果要瞭解我們中國幾千年來，易經八卦用之於天文、地理等方面的關係，就必須先瞭解五行干支了。有一位學科學的教授，從國外寫信來問一些問題，因爲國外最近出了一本書，認爲地球南北極有一個洞，洞中有另外一個世界，並且有人類，飛碟亦是從地球中心出來的等等。這都是和易經有關的問題，我回信告訴他，這幷不稀奇，中國人早說過地球是活動的，至於地球中心有沒有人類，又是另外一個說法。關於地球的中間南北極是相通的問題，道家在幾千年前就這樣說了，而且還說地球裏各地都是相通的，這些話都有書爲證，不過我們大家沒有去注意它罷了，也有一說黃帝的陵墓後面有一個洞，可以通到南京。可是在西方另有一派，說人類都是從外太空來的，中國古代亦有這一說法，也是道家說的，據說盤古老王亦是天上降下來的，佛家亦是這樣說，這些道家的學說，都可在「道藏」中找到。

上面這個故事，是要說明五行干支的思想，和原始的天文、地球物理有絕對的關係，祇可惜後來僅用在卜卦算命上面，這祇怪我們過去的文化，不向科學方面發展的緣故。

前面已經介紹了天干，如今再介紹地支。上面說過地支是子、丑、寅、卯、辰、巳、午、未、申、酉、戌、亥，十二個地支。何謂地支？我們以現代的觀念來說，是地球本身，在太陽系統運行，與各個星球之間，互相產生干擾的關係，無形中有一個力量在支持着，這就是地支。

我們知道天干有十個，就是五行的兩極之道，亦卽是五行的陰陽變化。而地支是六位數，是陰陽之道產生變化而成十二位，至於這些名稱的由來，與周易沒有多大關係，是中國傳統文化中，另外一種學說的系統，這在前面亦曾經提到過。至於天干地支每一個字的定義，有很多種解釋，究竟那一種解釋完全正確？很難下個定論；如子是萬物發生的現象、丑是樞鈕的意思等等，各有各的解釋，暫時不去討論它。另外以中國文化發展史，站在軍事哲學的觀點看甲、乙、丙、丁、戊、己、庚、辛、壬、癸等十天干，也有些人解釋爲古代十種武器的代表，如「甲」是一根木桿上裝一種利器、「乙」是一把刀等等……，莫衷一是，究竟那一種說法對？沒有定論。

地支與黃道十二宮

地支有十二位，代表十二個月，實際上地支是什麼呢？是天文上黃道十二宮的代名。所謂「宮」，就是部位；所謂「黃道」，就是太陽從東邊起來，向西方落下，所繞的一圈，名爲黃道面。這種黃道面，每一個月都不同，如我們晚上看天象，每一個星座，從東方出來，共有二十八星宿，（天文的知識，在上古時我們中國最發達。）而這二十八宿，在黃道面上，每個月的部位也都不同，於是依據這個現象，抽象的歸納爲十二個部位，用十二個字來表示。實際上這是天文的現象，變成爲抽象的學問，構成了後世算命的位置作用。這一套學問，現在看來好像很簡單，但眞正用心探究，其中學問甚多，也可見我們上古時老祖宗的文化智慧、科學哲學，都發達到最高最高點；因爲科學數字太大，很複雜，普通一般人的智慧，沒有如此的天才容納得下，於是把它簡化了，用五行、天干、地支來代表，使人人都能懂，只有文化到了最高處，才能變成最簡化。可是它的弊病，是後人祇知道用，久之便知其然而不知其所以然了。

這個抽象的名辭，裏面實際是有東西的，包括的學問很大；可惜我們後世祇把它用在看相、算命、卜卦這一方面去了。

六十花甲與歷史驗證

我們的六十花甲，就是根據干支來的，如甲子、乙丑、丙寅、丁卯……，這樣天干與地支配起來，便可以代表太陽系統這個天體和地球產生萬有的變化；其中以氣象的變化是最大的，也是最顯著容易見到。萬有的變化，各有不同，於是用干支配合，而且是天干的陽配地支的陽，天支的陰配地支的陰，陽配陽，陰配陰，依照次序輪流配合，完全相互配合，剛好滿六十個相配，成一週期，又從甲子開始，所以名爲六十花甲。

這種六十花甲的配合，現在的人不大用了，但它到底好不好呢？將來可以看到，它好得很的；它記天體的運行，六十年一個大轉，不管歲差如何（卽天文上所謂的躔度，也就是古代說的太陽與地球間一天走一度，走完了三百六十五度又四分之一度爲一年；以三百六十天爲一年，尙有賸餘，將其賸餘下來的度數，累積變成潤月，這就是陰曆的計算。而陽曆則是每年有七個月是三十一天，因爲方法不同，數字一樣。）但六十花甲算下來，億萬年的宇宙數字，亦不差分毫，這是一個很偉大的法則。試看中國的歷史，每個朝代換了、皇帝換了、年號換了，可是六十花甲的歲次，是固定不變的，必然六十年一轉。

如果把這個法則予以擴大，用途就多了。譬如唐堯卽位，亦卽他當皇帝就職那一天，爲甲辰年，後來邵康節的算法以及一般的算法，都以這個干支爲標準，這是歷史上比較有記載根據的。在堯就位的時候，有五星聯珠的現象，就是金、木、火、水、土五星，在天上列成一排，有一定的天象，在那時呈現，把這第一個六十年定爲上元，名叫上元甲子，第二個六十年爲中元甲子，第三個六十年爲下元甲子，一共爲一百八十年；然後再擴大，第一個一百八十年爲上元，第二個一百八十年爲中元，第三個一百八十年爲下元，像連環套一樣，套得整齊嚴密；再以這種甲子的法則，和易經等等配合演變，就知道歷史、社會、人類的現象，多少年有一個變化，如何變化；再配合中國天文學上，推算到該有什麼人物出來，這是我們中國人發現的一個很妙的法則，亦可以說是儒家孔孟思想裏所說的「天人合一」。以易經道理來看，這就是必變，宇宙間的事情，到了一個時候必然變，至於變成什麼現象？懂了這個大法則，再從卦裏，就知道會變成什麼現象了。可是知道了的人，大部分都不說出來，因爲怕洩露天機；古人說的「察見淵魚者不祥」，眼睛太厲害了，水裏有幾條魚都看得清楚，并不是福，這樣的人就算不短命，亦會患白內障，因爲用眼力太過了。可知聰明濫用的不智，所以萬事先知，並不吉利。眞有高度修養，便萬事先知變成無知，有絕頂的智慧而變成糊塗，只有少數幾個有修養的人才做得到，一般人則是做不到的。

現在再看地支，把它排成一個圓圈：

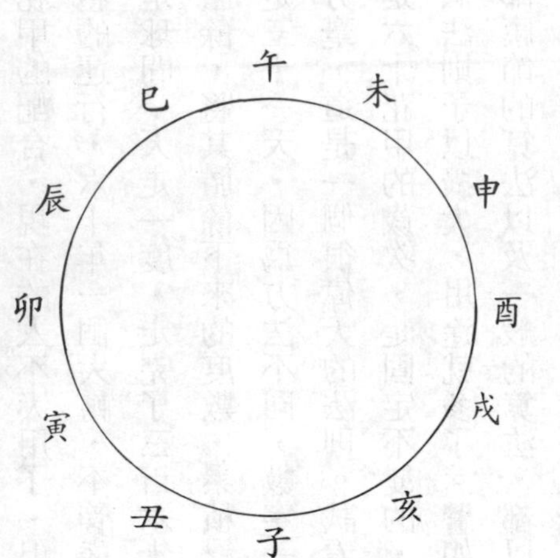

爲什麼畫成圓的？因爲地球與天體是圓的。

十二生肖

至於這十二地支的生肖，爲子鼠、丑牛、寅虎、卯兔、辰龍、巳蛇、午馬、未羊、申猴、酉雞、戌犬、亥豬。這一套生肖，據我的研究，是漢代的時候自印度傳過來的。印度當時的十二地支，并不完全像我們的，而是用文化抽象的符號來代表，用動物來代表，後來變成中國文化的解釋。子屬老鼠，鼠爪是五個，奇數爲陽；丑屬牛，因牛蹄兩瓣爲陰數，寅屬虎，亦因虎有五爪，卯屬兔是因兔唇兩瓣等等。據說是如此訂的，但「事出有因，查無實據。」另據古今圖書集成干支部所講：「以廿八宿之天禽、地曜，分直於天，以紀十二辰，此十二生肖之所始」的這一觀念，由近年出土的西漢銅器，及漢墓星象刻石推論，此說極爲可能。

地支與命理

把這套大法則，演變成小學問，用在算命、看相、卜卦上，乃至用到偵判命案上，洗寃錄中就有這方面的學問。地支上有六冲，亦可從上面的圓圖中看到，凡是對面位的都是冲，如子與午、丑與未、寅與申、卯與酉、辰與戌、巳與亥都是相冲的。冲不一定不好，有的非冲不可。相對就是冲，這亦是易經錯卦的道理。實際上所謂冲，是二十八宿在黃道面上，走到太陽這個角度來，叫作沖，與太陽的方向相反，這就叫作合，從圓圖上看，立場相等就是合，（如子與丑合、寅與亥合、卯與戌合、辰與酉合、巳與申合、午爲日、未爲月之六合，在十二地支中，還有兩合、三合……等等。）這裏我們還要有一個觀念，二十八宿在黃道十二宮的位置上，與太陽的躔度對立就變成沖，沖并不是難聽的話，而是表示有阻碍。

再把天干與地支配合成一圖，亦卽所謂的納甲。

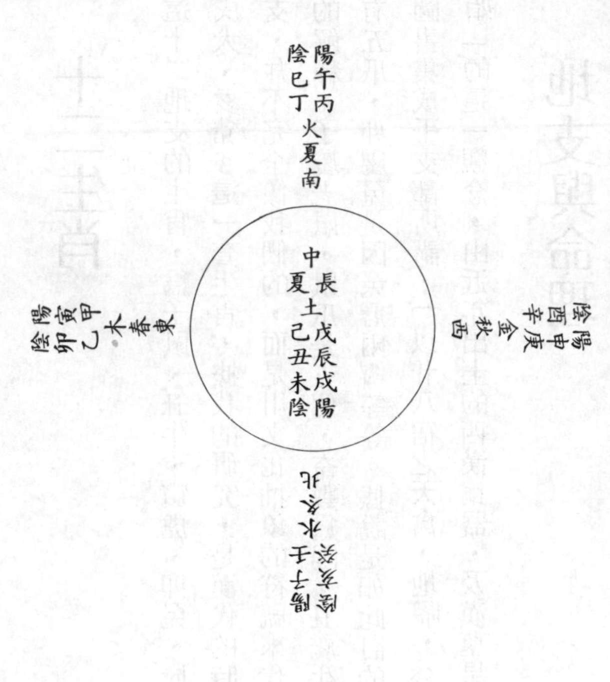

納甲與易數

像這樣相配，地支的辰、戌、丑、未都空出來了。而天干的位置是：東方甲乙木、南方丙丁火、西方庚辛金、北方壬癸水、中央戊己土，和地支相配，名爲納甲；也就是把五行、八卦、天干、地支，歸納到一起。

由上面圓圖再配上八卦，用先天伏羲八卦圖的位置納甲，爲乾納甲、坤納乙、艮納丙、兌納丁、戊己在中間，震納庚、巽納辛、離納壬、坎納癸。

現在再看一年十二個月，六陰六陽的表——即十二辟卦，代表一年氣象變化的大作用。把納甲用到這一面來，又是另一個不同的公式，所以學易經的象數要記住好幾個不同的公式。在了解這些公式以前，首要了解數的陰陽。數分爲陰數陽數，亦是雙的意思和單的意思，如奇門遁甲的奇字。凡一、三、五、七、九均爲陽數；二、四、六、八、十等雙數，爲陰數，又名偶數。陽數最高之數爲九，我們讀文天祥的正氣歌「嗟予遘陽九」，意思就是到了絕路，運氣已經絕了，到頂了，因爲九爲陽之極，陽極所以到了絕路了。而「十」又到了另外一個元的一了，以易經的數理言，永遠是一個「一」，一加一所以等於二，單數到了「九」數爲極點，所以易經中陽爻以九作代表，如乾卦的六爻都是陽爻，於是稱作初九、九二、九三、九四、九五、上九等；陰數是倒算過來，爲十、八、六、四、二，這表示陰陽是顚倒的。

陰數的五個偶數以「六」在中間，陰取其中，因爲陰數爲偶，是相對的，而其中間的數是重點，所以陰爻以「六」爲代表；如坤卦的六爻，稱作初六、六二、六三、六四、六五、上六。以前說過，八卦是由下往上畫的，假使有人以「六」「九」代表陰陽的方法，隨便報出六爻的數，如初九、六二、六三、九四、六五、上九等，我們就可畫出䷔，這個噬嗑卦來。

從這個道理就看出來了，眞懂了易經，只要掐指一算就行了。懂了易經的數理，學起電腦就更容易，這話是對的，這也證明上古時我們的老祖宗發明的易經數理，等於比現在的電腦數理還更高明。宇宙的道理，都是一增一減，非常簡單；好像天秤一樣，一高一低，這頭高了，另一頭一定低了，所以祇有加減，包括了乘除，也包括了一切數理；這還不算什麼，人的智慧發達到最高亦就最簡化，祇用這十個數字，便把宇宙的法則歸納進去了，只要一加一減就算出來，就了解。所以說易經的數理哲學，不是基礎，也不是開始，而是很高明的，歸納到如此簡化。所以眞正懂了易經以後，凡是最高深的數理，都會變成簡化。我們從數字上看，祇有一、二、三、四、五、六、七、八、九、十，加以推測，天地間的事理、物理都把握在手掌中。學了易經的人，正如道家所吹的牛：「宇宙在手，萬化由心。」所以這是我們文化的結晶。

察見淵魚者不祥

曾經講的卜卦作用，因爲凡是稀奇的事情，我一定去了解，了解完了以後，我素來不玩的。這些東西玩儘管玩，不過要有一個原則，不可迷信，所謂不迷信，是不要把人所有的智慧都寄託在這上面，如果都寄託在上面就不行了，偶然用它來參考參考，是不礙事的，但不要影響自己的心理，有時候很靈，宗教的觀念也是如此。再其次，要弄清楚的是：「善於易者不卜。」一個人眞懂得易經以後便不算卦了，一件事情一動，就知道它的法則，就沒有什麼可算的了，得失成敗，自己心裏就應該有數了。另一觀念，卽使能夠「未卜先知」，亦幷不好，「察見淵魚者不祥」作人的道理亦是這樣，不要太精明，尤其作一個領導人，有時候對下面一些小事情，要馬虎一點，開隻眼閉隻眼，自己受受氣就算了，他罵我一頓就罵我一頓，一定要搞得很清楚。「察見淵魚者不祥」，連深淵水底的魚，河裏渾水裡的魚有多少條在怎麼動都看得清楚，不要自以爲很精明，實際上很不吉利，說不定會早死，因爲精神用得過度了。上面這些原則千萬要把握住，如此人就舒服了。

焦京師徒與郭璞

現在講到卜卦的方法，在中國的易經傳統，占卜是它主要的路，易經在古代就是爲了占卜用的。到孔子以後，才把易經用到人文文化上面。易經畫的八卦，原始當然是爲了卜卦用的，爲什麼人類要卜卦？這不止是中國有占卜，世界各民族都有占卜，當然各民族所用的方法不同，但是都沒有我們中國的高明，這中間牽涉到一個哲學的問題，卽是人類的智慧。無論過去、現在、未來的人，都有許多無法知道的事情，譬如明天怎樣？我明天怎樣？這些問題，誰也沒有把握作答案，連後一秒鐘如何也不可卜，而人們要知道，於是產生了占卜這些東西。中國有了易經的卜卦以後，幾千年來，產生了好幾個派別，這一點我可以提出來告訴大家，古人研究易經，多被易學困住了，不知易沒有一定的法則，有些人懂了易後，自己另外又創出法則來。如漢朝有名的京焦易，京焦是兩個人的名字，京是指京房，焦是指焦延壽，卽焦贛。京房是他的學生，焦贛著「易林」，又名焦氏易。其中把八八六十四卦，演變的卦都解釋出來，所用卦辭，統統不用周易，自己另外創造一套，他是把易經研究通了，法則通了以後，不一定照原來的東西，等於每個廟的籤詩，有關帝籤、觀音籤、濟顛和尚籤……，各有各的籤詩，都不相同。所以焦贛的易，卜卦的解釋方法，和周易不一樣，可以說是一個革命，因爲他懂了，他的智慧夠了，所以才能產生出來他的一套卜法。焦贛傳易給京房，京房在東漢的時候，言無不中，皇帝有什麼事情都去問他，但是焦贛說，京房把我的易學學通了，可是將來亦必死於易學，結果京房果然被殺頭而死的。

東漢下來，看地理風水，講所謂堪輿之術的，從晉朝的郭璞開始，他亦是通易經的，萬事前知，等到晉朝大將王敦要造反篡奪皇位時，就怕郭璞不同意，於是就把郭璞找來，予以暗示，郭璞硬是不同意，王敦立卽翻了臉，問郭璞既能前知，可知自己的命運，郭璞說我知道今日此時你就要殺我，結果當然如他自己所料的被殺了。他就明知道脫不了這一難，當然他也可以使滑頭逃避，這裏看到學易經的人，知道了凶事就不一定逃避，所謂「數不可逃」。其實數亦未嘗不可逃，中國讀書人養成了一種忠君愛國之心，你做反叛的事，我寧死也不逃。

金錢卦

到了宋朝的邵康節，又根據易經，另外產生了一套法則，解釋又不同。明朝以後的太乙數又不同，一般人講易經的發展史，好像幾千年下來沒有變，其實變的地方很多，至於用三個銅錢卜卦的方法，就是從焦京易這個系統下來的，不過方法上歷代都有變更和擴充，因爲社會演進，人事愈趨複雜，如原用的木、火、土、金、水五行，不夠來代表更複雜的人事，例如我手裏握一枚金戒子，用五行可以推算出是金來，如握一隻現代的打火機，這可就複雜了，不是單純的五行可以代表的了。於是就擴充變更，有了干支、五鬼、六親等等了，使卜卦的內容更充實，但在方法上，這卻是一代一代傳下來簡化了的方法。不過現在不容易找到外圓內方的銅錢，借用現代的硬幣也可以，橫豎都是一正一反兩面，任意將一面作爲陽面，一面作爲陰面，將三個錢亂搖一陣後丟下來，如果說其中兩個錢是陰面，一個錢是陽面，便以陽面爲主，記錄一個「、」的記號，代表這是陽爻，因爲照易經的道理是「陽卦多陰」，普通的說法亦是「物以稀爲貴」，如天風姤卦——䷫就是以陰爻爲主，以普通的現象來看，六人中有五男一女，這一女就成王了，大家都會聽她的，這是天地間事物的一定道理，如果卜出的錢是兩個陽面一個陰面，就是陰爻，記錄一個「‥」的記號，如果三個錢全是陽面，作的記號是一個圈「○」，這就叫作動爻，要變陰的，陽極則陰生，如果三個錢全是陰面，作的記號是「×」，這是要由陰變陽的動爻，這樣連續六次，完成六爻。裝卦的順序是由下向上依次排列，第一次所卜得的爲初爻，第二次爲第二爻，依次上去最後到上爻，這是目前卜卦的方法，它的源流，是自秦漢以後開始的。有些以賣卜爲生的人，則故作神祕，以顯示靈驗，其實自己用起來，還可以更簡單，也很靈。至於到底能否是無失的靈驗，則又牽涉到精神學方面了。如果以簡單的方法，隨便報一個數字，都可以卜卦，像「一、二、三」，一爲乾，二爲兌，兌是澤在下，乾是天在上，重卦則爲「天澤履」卦，第三個數字是三，則是履卦的第三爻爲動爻；如果「一、二、四」，則是履卦的第四爻動，卜卦主要看動爻，一件事是靜態的，不動則不需要問，因爲本身無事，一動便有吉、凶、悔、吝的後果，所以要在動爻上看吉凶。

先知、神通與現代心靈學

大家玩卜卦，靈不靈的問題，還是中國人的老話，誠則靈，這又是精神學的問題了，如果從這個問題的方向去研究，發展下去又有很多學問，人的精神本身具備了先知的本能，平日又爲什麼不能發生先知的作用？因爲人的精神沒有辦法統一，所以道家、佛家的修煉，就是要修煉自己的精神可以專一，便不需要靠卜卦就可先知了，佛學叫作神通。社會上有關「圓光」這一類的事（江湖上有一種法術，叫圓光術，用一面鏡子或銅錢，令童子視之，可知過去未來之事），幷不是神通。要尙不知男女情事的童子，才能圓光看見景象，因這種小孩天眞無邪，沒有任何雜念，他的這種精神狀態，就是誠，可見神通就是慧通，是智慧的通達。在佛學上神通可分爲五種：一種名爲「報通」，就是說有的人天生會看鬼看神，天生的鬼眼，這是前生的宿根。以前一位有名的大畫家張魯光先生，這位先生假如還活着，則有九十多歲了，他是教授、學者、大畫家，眼睛生來就看得見鬼，抗戰時在四川華西壩跑空襲警報，我們就跟着他，避免往鬼多的地方躲，一次有人主張在一個看來安全的地形躲避，張魯光卻說這地方有很多無頭的鬼，一定會被炸，帶大家往沒鬼的地方躲，果然後來那個有無頭鬼的地方，挨一個炸彈，死了很多人。第二種名爲「修通」，是由打坐、煉功夫，以及催眠術、瑜伽術等等煉成的，像蘇聯對這類人的訓練非常注意，並列爲最高的國防機密，花了很多錢來培養超能力的人，用來偸取他國情報，就是修通這類東西。開始是史達林的時代，得了一個錯誤的情報，以爲美國已經研究成功了這種「心靈學」，所謂心靈學，其實就是所謂的修通，加一個科學名辭而已，大家就吃這一套，正如莊子所說「朝三暮四」的寓言，換一個名稱就吃香了。——後來到赫魯雪夫時代，發現美國知道了他們許多機密，於是蘇聯使花了許多錢成立了一個機構，專門研究這方面的學問，而且有了不少成就，其實美國原來幷沒有這些東西，後來倒是偷到了蘇聯的這套資料，認爲很有用處，才開始研究。現在美國、蘇聯都在研究，但是有一點我們要注意的，就是照這樣說，蘇聯所奉行的唯物思想便站不住腳了，等於自己在打自己嘴巴了，可見心靈學的偉大。第三種爲「鬼通」。第四種爲「妖通」，以現代的名辭而言，即所謂精神病態的人，有些人精神不正常，爲鬼爲妖所附，對一些小事情能夠前知，這也是一通。第五種名爲「依通」，如卜卦、算命等等便屬於依通，意思是靠某一項事物，靠一種數理、數字、光，或利用黑暗的地方，或利用人的腦電波，在某一光度或音響之下，到達一種相當的程度，可以超過眼睛生理上的力量而看到東西，這些都是「依通」。

又一種卜卦的方法

中國的卜卦方法很多，如果不了解它的原理而認爲很神祕，一輩子也不敢變更他的方法，因此我就告訴一些愛玩這套的年輕人，用十二個數字，隨便報數的一種新方法，報三個數字，第一個數字（我們依先天卦的卦數，即乾一、兌二、離三、震四、巽五、坎六、艮七、坤八）爲外卦；第二個數字，亦同樣的也用先天卦數爲內卦；第三個數字，是代表動爻。假設報的數字爲一、二、三，那麼外卦爲乾一，內卦爲兌二，構成了天澤履卦，第三個數字爲三，即是天澤履卦的第三爻爲動爻，卦是以動爻爲主。假使報的數字爲一、二、六，就是天澤履卦的上爻動了，但是報的數字如果是七、或八、或九、或十，該是那一爻動呢？九代表六爻相動，十代表六爻安靜，八代表兩個爻動，七代表三個爻動，十一代表五個爻動，十二代表四個爻動。

動爻的斷法

關於動爻的斷法：

六爻安定的，以本卦卦辭斷之。

一爻動，以動爻之爻辭斷之。

兩爻動者，則取陰爻之爻辭以爲斷，蓋以「陽主過去，陰主未來」故也。如天風姤䷫卦，初六、九五兩爻皆動，則以初六爻斷之，九五爻爲輔助之斷，「陽主過去，陰主未來」，其中大有學問。

所動的兩爻如果同是陽爻或陰爻，則取上動之爻斷之如䷾既濟卦，初九、九五兩爻皆動，則以九五爻的爻辭爲斷。

三爻動者，以所動三爻的中間一爻之爻辭爲斷，如䷀卦，九二、九四、九五等三爻皆動，則取九四爻的爻辭爲斷。

四爻動者，以下靜之爻辭斷之，如䷿火水未濟卦，九二、六三、九四、六五四爻皆動，則以初六爻的爻辭斷之，如䷿初六、六三、九四、六五等四爻皆動，則取九二爻的爻辭斷之。

五爻動者，取靜爻的爻辭斷之。

六爻皆動的卦，如果是乾坤二卦，以「用九」、「用六」之辭斷之，如䷀乾卦六爻皆動，則爲群龍无首，吉。

乾坤兩卦外其餘各卦，如果是六爻皆動，則以變卦的彖辭斷之，如䷫天風姤卦六爻皆動，則以乾卦的彖辭斷之，因爲姤卦是自乾卦變來，姤卦是在八宮卦的乾宮之中。

古人有句話，有疑則卜，無疑不卜，一件事情，在兩難之間，往東亦對，往西亦對，兩個方向都對，而又需要確定究竟往那一個方向最對，自己又無法確定的時候，才去占卜。如果自己的智慧，還可以去解決的問題，則應該用自己的智慧去解，而不必去占卜了。上面的僅是卜占的方法之一，卽使銅錢等卜占用品一件亦沒帶，祇湤了這十二個數字，就可卜卦，不過不要認爲祇是玩玩的，自己都沒有信心，則一定不靈，一定要誠心才靈，這是精神的問題，宗教的哲學，前知的哲學。一個人眞到萬難的時候，本身的智慧、精神的潛能才發得出來，這是一種智慧之學，而不是宗教信仰，千萬不要迷信。

河圖與洛書的文化根源

河圖

洛書

這兩個很多圈圈點點的圖，就名叫河圖、洛書，就是我們麻將、象棋、圍棋的祖師爺，這些雖屬小道，卻與這兩個圖有關係。

河圖、洛書是屬於中國學術思想神話部分的東西，舊傳說大禹治水的時候，在工程方面發生很多困難，結果在黃河上游，從河中出來一匹馬，古人將之神化稱它爲龍馬，這龍馬背上背了一個圖案，圖案上就是這些個圈圈點點，沒有別的，因此這個圖案，就名叫河圖，因爲這個圖案，產生了數學的方法，數學的觀念。但古代的神話，和一般學說的說法兩樣，神話中說大禹得了這個河圖，就能驅使鬼神，把中國的水患治平了。稍後在洛水裏出來一個烏龜，這烏龜的背上，有另一個由圈圈點點形成的圖案，這個圖案，名叫洛書。這兩種圖案合起來，就產生了中國數理的哲學和工程上應用的學說，這是我們傳統的說法，後世一直到了唐宋以後，在學說上一般學者就不同意這種說法，他們採取懷疑的態度，到了現代更加反古了，認爲毫無意義，並認爲這是假託的神話，而現代學者這種「毫無意義的認定」又有什麼根據？亦說不出來，祇是不相信這一套說法而已。

依我們所了解的，中國文化大概在春秋戰國的時候，是沒有統一的。那時不但言語沒有統一、文字沒有統一、交通沒有統一、經濟沒有統一，乃至各個地區的社會形態亦不統一。周朝的政府所謂的中央天子之治，分封諸侯，地方分治，幷不統一。從秦漢以後統一的局面是另外一回事，我們研究歷史，常以後代的政治形態、社會形態看古人，這是很大的偏差。由於那時代沒有統一，孔子所保留的四書五經文化看起來，唐虞以上的歷史，文字資料太難整理，所以依據有可靠文字的時候，斷自唐堯開始，整理出尙書，根據這些資料，就了解堯、舜、禹三代文化區域不同。那時在黃河上游的北部，更早時期的黃帝，如有名的涿鹿之戰，就是在河北的北部，那時的文化是在北方的，後來到了周朝的文化，差不多到了黃河以南，中國的文化是由北向南移，大的一面是由西北到東南，另外小的一面是由北到南，如江南的文化，是從晉朝以後，才慢慢由北方推移過來。到了南宋的時代，江南文化便大盛，不但是中國，外國的文化也是一樣，都是由北方起源，慢慢推移演變到南方來。中外歷史上眞能統治一代興盛起來的統治者，都是起於北方，而且很少出於都市，大多都來自鄉間，這些對於研究哲學的問題關係很大。

現在我們知道中國文化，最初是由黃河上游發展出來，顯見河圖、洛書這兩個文化系統，發生在不同的地點，一個是在北方黃河的上游，一個是在南方，在黃河的南岸洛陽這一帶。

從天文星象看河圖

研究這兩個圖有什麼意義？反對一派人的看法，認爲這和小孩子畫畫的東西一樣，是毫無道理的，可是，如果說它是毫無道理騙人的東西，可騙了幾千年，而且都是第一流人物受騙，那麼這種很高明的騙術亦值得研究了。現在我來假定，這是過去非常簡化的天文圖，那麼它究竟指的是那幾個星座？我們知道天文分幾種，現在分得更嚴格，譬如星象學，是屬於天文的學問。星象又分兩種，一種是講天文的星座，另一種我定名爲抽象的星象學。古今中外如埃及、印度、中國，尤其在大西洋一帶的文化，乃至現在新發現南美一帶所謂落後地區的星座文化，都屬於抽象的星象學。抽象的星象學，是把天文的星象與人體的關係，連在一起研究，發展成看相、算命等等，都屬於星象學——抽象的星象。所以過去的歷史文化上，對看相算命的人，都稱他們爲「星象家」，這就說明看相算命的原理，必須要從星象來的。

現在美國有一門星象學，亦是新興的學術，有七、八個大學開了算命看相的課，正式研究全世界各國的看相算命方法，現在雖還沒有構成學位的系統，但已網羅了各國懂這一套的人開始任教，那麼我們提出來的河圖、洛書，就是我們古代簡化的、歸納性的星象圖，這是我的假設，如果以這個方向去發掘，當可發掘出很多的道理，在我們易經的象數方面，把這一套歸納出來，說法可不同了，是非常玄妙的，可是這些玄妙的方法產生了很多東西。譬如河圖下面的一個白點，叫作「天一生水，地六成之。」對方（上面）「地二生火，天七成之。」左邊爲「天三生木，地八成之。」右邊爲「地四生金，天九成之。」在中央爲「天五生土，地十成之。」以前我們祇知道如此背誦，到底什麼道理則不知道。事實上研究哲學或者研究科學，問題大了，舉一個例子，全世界的文化，除了宗教以外，講宇宙的開始，不外乎一派是唯心的，一派是唯物的。唯物思想認爲地球的形成，宇宙的開始，第一個原素是水，後來的地質學家，完全站在科學物理的立場，認爲地球的形成，最初在太空中如一團泥漿旋轉，經過幾百億萬年的不斷旋轉以後，漸漸凝結起來了，成爲地球。在中國的哲學中、科學中，易經裏則有天一生水，地六成之，同樣的道理，水是第一個原素，等到形成了地球以後，所謂地六成之，這是中國思想，在春秋以前，講究時間與空間，這又與西方不同，當時西方講四方，印度講十方爲空間的方位。中國人在春秋以前講六合，由莊子提出來，講六合空間，包括東南西北四方和上下，了解了這些以後，就知道河圖洛書，不是隨便亂說的。「天一生水，地六成之。」并不是迷信的話，而是說宇宙形成的第一個原素是水，構成了地球以後，再有四方上下六合來形成，但這是從推論來的，還不是科學的。講到中國的科學，多在過去道家的傳統思想裡，大家都知道牛頓發現了地心吸力以後，世界的科學有一個轉變，愛因斯坦發明相對論以後，對於牛頓的定理又要推翻或修正，又產生了現代的文化，所以人可以到太空去，但牛頓的地心吸力的定理還存在。其實每一個星球的本身，都有它的吸力，所以各不相干，都在那裏轉，但問題在於太空中有這麼許多星球，爲什麼不會相撞呢？舞臺上表演特技，拋擲許多球不會碰撞，是因爲時間、速度控制得好，位置擺得好，用力適當得好，可是太空的星球有誰在拋擲他們呢？這個問題的答案還沒有找到，全世界人類正在找，我們把這些資料彙集起來，再研究河圖洛書，就知道它們本身是有道理的。

爲什麼「地二生火，天七成之」？這圖案下面兩點是偶數，黑點表示是陰性的，陰的東西是構成物質以後，陽的是在沒有構成物質以前，等於現代科學名辭中的「能」，有作用，但是看不見的，以哲學而言能是抽象的，在這裏的代號就是白點，是奇數的。地二生火，古代亦可解釋爲地下有火，所以有火山爆發，由地下生出火來，因此叫作地二生火，這種解釋似是而非，是前一個時期的知識範圍所能作的解釋。事實上地二生火是說地球形成以後，它的轉動摩擦，發生了電能，然後「天七成之」，這個是因爲地球在宇宙中的位置，與北斗七星，所謂大熊星座有連帶關係。我們中國講天文地理，離不開北斗七星，古人認爲這是皇帝的星座。我們不必看得那麼神祕，這有另外一套道理，同中國的政治哲學思想、科學、天文，樣樣都有關聯。

洛書與大禹治水

關於洛書的圖案，傳說是有一個烏龜從洛水裏浮出來，背上有這個圖案，我們的老祖宗大禹有了河圖、洛書以後，啓示了他的靈感，所以把中國的水患平定下來了。在我們中國文化的發展，大禹的功勞最大，因他治水以後，中國九州，才開始可以農業立國，一直傳下來幾千年，治水可以說是大禹一件劃時代的工作，而他做這件工作的智慧，是由河圖、洛書的啓示而來的，這個洛書的圖案，正好是一個烏龜殼的形狀，圖中的點點，古代有一首歌來敍述它說：「戴九履一，左三右七，二四為肩，六八為足。」頭上是九，下面是一，左邊是三，右邊是七，這些都是陽數，白點子，佔了四方。另外四個角，上面右角是兩點左角是四點，如同在肩膀上，下面右角是六點，左角是八點，像兩隻足，爲陰數，是黑點，五則居中，這是洛書的數字，洛書的數字擺法，是後天的用，河圖的數理則是體。

不傳之祕

這兩個圖的數字方位知道了以後，再把洛書數字的圖案，套在文王後天八卦的圖案上，於是我們前面講過的：「一數坎兮二數坤，三震四巽數中分，五寄中宮六乾是，七兌八艮九離門。」的道理就看出來了。現在告訴大家，以前古人講易數卜卦，不肯傳人的祕訣，老實說那些傳祕訣的人，自己對祕訣的道理都不清楚，祇知道書上說的，書上爲什麼這樣說的，他不知道了。問題在於八卦的起用，是用文王的後天八卦，用洛書圖的數字，配上後天卦的方位，以用在占卜上，看對與不對，如此而已。有些人研究易經感到困難，就是因爲被這些符號迷住了，尤其中國人過去的思想，研究了許多年發現了，卻不肯教別人，否則他自己沒得玩的了，所以祇好瞞一手，這一瞞就完了，後人又要費好多心血去找出來，假如又瞞一手，幾千年就如此退下去了。其實大可不必，我覺得這是一個科學的東西，科學上的最高原理，現代可以不用在算命、卜卦、看風水上，現在可以用到宇宙的法則上。學通易經後，多看看太空、理化方面的新學問，會發現很多新的東西，就可以知道我們老祖宗的文化偉大之處了。

繫傳——孔子研究易經的心得報告

談到繫辭上下二傳，相傳是孔子所著，大家注意，孔子是到五十歲，才開始學易經，所以他說五十而知天命，六十而耳順，七十而從心所欲，加上二十年學易經的心力，他認爲得了道，不過後來有人考證，認爲繫傳不是孔子著的，不過我對考據的事情，雖非常重視，但不太去管它，原因是考據的東西很難斷其是非，我始終有一個理論，即使我自己昨天做的事情，今天若要說出來，都會有些糢糊，如果說今天拿到一塊泥巴，考據到幾千年前的事情，硬說它是某種情形，那你愛怎麼講就怎麼講好了，誰有把握？所以繫傳到底是不是孔子著的？那祇是次要問題，我們現在主要的是研究這篇心得報告的內容，其次我們知道，中國文字是非常美的，繫辭的文字眞是美極了，在古人傳統的看法都認爲是孔子自己寫的，的確很美，文字用得很簡要，一個字代表了很多意思，而且讀起來很順：「天尊地卑，乾坤定矣，卑高以陳，貴賤位矣，動靜有常，剛柔斷矣，方以類聚，物以群分，吉凶生矣，在天成象，在地成形，變化見矣。」

這一段文字不但很美，包含的意義也很多，和論語比較起來，學生們的文章，到底差了一點。老子的道德經和孔子的繫傳，以文字的立場看，的確很美，文章中有關哲學的道理、科學的道理，實在包含太多了，中國人都懂。

天尊地卑　乾坤定矣

第一個道理是「天尊地卑，乾坤定矣。」五四運動的時候反對這兩句話，以前共產黨亦對它攻訐，說這是階級觀念，他們認爲尊卑就是資本主義思想的階級觀念。其實他們完全搞錯了，尊卑是兩個對立的名辭，幷不是說權力財富的尊貴，卑亦不是下賤，是指人的感情思想，對於宇宙不可知的事，尤其古人覺得天很偉大，如對登山者登上玉山，讚他一句偉大，這是尊的眞意，是一種形容辭，越遠大的，越摸不到的，我們覺得它越尊貴；而對於地，我們離不開地生活，離開了一秒鐘就不得了，所以我們和地很近、很親切，卑亦就是很親近很親切的意思，這其中有很多哲學的道理，人的心理思想，凡是遠的，摸不到的，看不見的，都認爲是好的，理想永遠是美的，越是稀少的、得不到的，在人們心目中的地位便越高，對於淺近的，就覺得沒有多大意思，沒有多令人稀罕，就如男女之間的戀情，對於一個還沒有追到手的小姐，永遠覺得是好的，永遠美麗，愛情篤實，可是一旦結婚以後，慢慢的接近，這個卑就出來了，這是人情之常。

「乾坤定矣」，許多人用這四個字，作爲結婚者的賀辭。過去結婚，要把新郎、新娘的生辰八字，送給算命先生合婚，就用這句話說是「乾坤定矣」，其實這句話用錯了，眞正的意思是，「乾」、「坤」是兩個卦的代名辭，乾卦是代表高遠的天，坤卦是代表與我們親近、卑近的地。「天尊地卑，乾坤定矣」這是易經的學理上、卦上的話，可是古人的解釋，以爲有了易經，我們的祖宗伏羲畫了八卦以後，天地就開始了，這和今日西方宗教的說法一樣，西方人說上帝創造了世界，我們說盤古老祖宗這麼一畫，天開於子，地闢於丑，於是天地就開始了，是一樣的錯誤。眞正的意義是，乾坤兩卦是天空與大地兩個自然形象的代表，我爲什麼這樣解釋？因爲在這裏接下去說，「卑高以陳，貴賤位矣」，這句是解釋上面的話，卑就是親近的，地球對我們太近了，高就是太空，越高越遠，「以陳」這一高一卑陳列在我們的前面，所以我們人類的思想感情，看見遠大而摸不到的，認爲尊貴，而對於親近的卻覺得無所謂了，因此乾坤兩卦也代表了位置的不同，道理就在這裏。

動靜有常　剛柔斷矣

「動靜有常，剛柔斷矣。」

這要注意，將來研究易經的象數，一定要記住動、靜、剛、柔這四個字，動靜就是陰陽，一動一靜，動爲陽，靜爲陰。剛柔，看得見的事物，如牙齒與嘴巴，牙齒是硬的爲剛，嘴巴是軟的爲柔，實際上是這裏面含有兩層道理，動靜是講物理世界的情形，當地球沒有形成以前的那種物理層面的世界，是一動一靜的現象，這是陰陽正反兩面的力量在互盪，到了物質的世界，就是剛柔，是物質出來的現象。所謂動靜有常，宇宙間任何法則，太陽、地球、月亮、宇宙的運動，乃至人類思想、感情、情緒的變化，國家大事的趨勢，幷不是盲目的，雖然未來的前途如何，大家不知道？是因爲不懂易經，懂了易經，至少會知道個大概。「動靜有常」總離不開一個一定的原則，一個常規，等於一個孩子的長大，今日一歲，決不可明天就是兩歲，後天就是三歲，一定要一天天加下去，加滿了三百六十天才能長大一歲，這是有常。「動靜有常」就是指物理世界的動靜是有其常軌的，研究科學的人知道，原子的變化，有一定的規則，這種排列形成這種現象，那種排列產生那種變化，經過一定的時間和一定的空間，便發生一定的變化，這種軌跡，沒有辦法違反。「剛柔斷矣」的「斷」，不是一根線斷成兩截的斷，是斷定的斷，判斷的斷，決斷的斷，有了剛柔，就可以判斷物質世界的一切變化。

方以類聚　物以群分

「方以類聚，物以群分，吉凶生矣。」

這個「方」字有兩種解釋，古代的方字，寫作「方」像一隻猴子蹲着，所以有人解釋方以類聚，是說像猴子一樣，一類一類的分別聚在那裏，這說法有人反對，後來我亦發現這一說法，是受了政治上唯物思想的影響而產生的。「方以類聚」的眞正意義，方是指空間、方位，所以學易要注意時間與空間，亦是現代的科學精神，中國過去不稱空間而稱「位」，「位」這個字用得比「空間」還要更好，懂了易經以後，處理事情，到處都有位的因素，譬如我們現在立腳的一塊地，在五十年前，是荒郊野外，沒多大價值，可是到五十年後的今天，雖不是黃金地帶，亦是白銀地帶了，這就是位的作用。任何事情，一個很好的計畫，太早或太遲提出來都不能實現，一定要在恰好的時間提出來才能做到，而且是雙重因素，除了時間，還有位置。方以類聚，每一方位的人，乃至個性、情緒都不同，物亦是一樣的道理，像臺灣高山上和大陸濕度相同的地方，種出來的某種蔬菜，看起來外形和大陸的一樣，可是吃到口裏，就不一樣，這是因爲方位不同，這就是方以類聚。至於「物以群分」是說在物理世界，一群一群的分類現象，就是這個道理。於是吉凶在這裏發生了，「吉凶生矣」，學易經的人都知道，世界上未來的事情，祇有兩種結果，就是吉或凶，好或壞，做生意不賺錢便蝕本，沒有做一年生意，不賺一毛亦不賠一毛的。過去有人跨着門檻要求卜卦者卜斷他是進門抑或出門，因而把卜卦者難倒了。假如我是卜者，我會斷他不進門則出門，這斷法表面上看來好像很滑頭，其實這是一定的道理，吉或凶，都是因人的心理而產生的，爲什麼呢？因爲「方以類聚，物以群分」，這一類的人和那一類的人，利益有了衝突，於是吉凶就分出來，到這裏，也把易經運用的原則告訴了我們，那麼我們怎樣知道過去未來呢？

「在天成象，在地成形，變化見矣。」

就是說，欲知過去未來的學問很簡單，人人都可以學會，祇要看見太陽系統裏，星辰運轉的法則，懂了它的原理，在地上的每一成形的東西，山是高的，水是流動的，任何現象，都可以看得出來的，懂了變化的法則原理，那麼對於過去未來便都知道了。

剛柔相摩　八卦相盪

「是故剛柔相摩，八卦相盪，鼓之以雷霆，潤之以風雨，日月運行，一寒一暑……」

這一段的意思是接着上面來的，是研究易經八卦道理最重要的地方，這是指我們現處的太陽系統，所帶領的星球世界中的物理法則，擴大一點來說，也可以說是宇宙運行的法則。

懂了宇宙運行的法則，自然會了解人事，正如儒家所標榜的「天人合一」的道理，至於把這個法則應用到另一個太陽系統，是不是相通呢？推測下來，大概亦是相通的。

現在說的「剛柔相摩，八卦相盪」，就是說我們人類所居住的這個太陽系統以內，物理的法則都由剛柔（這是兩個物質世界的代號）亦就是陰陽，互相摩擦而產生。宇宙間，任何東西，都是由這兩個相反的力量，互相摩擦，才生出來的，這是摩。至於八卦相盪，開始時我們已經畫過八卦，爲了解說的方便，現在需要先介紹一些關於易經的基本知識。

先說什麼是易經？前面我們曾經說過，易就是變易、不易、簡易三個原則，這是漢代儒家提出來的解釋，這個解釋對不對倒是另外一個問題，究竟爲什麼叫作易經？這是根據漢朝一位道人魏伯陽——道家的神仙，又名火龍眞人的說法來的，他有一本有名的著作叫參同契，朱熹一輩子不敢說對這本書已經研究通了，這本書是根據易理講修道的書，也就是中國所謂道家著作的鼻祖，在書中他提到了「日月爲易，剛柔相當」的話，我們看古文易字，上面是日的象形，下面是月的象形，把上面太陽下面月亮合起來，便是「易」字了，這個意思是說，易經這本書，是敍述我們人類這一個太陽系統的宇宙中，日月所運行的一個大法則，可見有關易經的定名，以魏伯陽的解釋，爲最正確，可是自宋朝到清朝這幾百年間，很多人懷疑這個解釋，而日本人解釋的更妙，他們說易是一種動物——四腳蛇，也就是蜥蜴，因爲它的特徵是善於變化，它棲在綠色的樹葉上，體色就變成綠的，棲在紅的花上，體色就變成紅的，所以易就是蜥蜴。日本人對於我們的文化，有時候固然歪曲的很厲害，但有時也是很有趣很可笑的，他們還提出證明，說易經中有很多都是用動物代表的，如龍、象、馬等等都是，所以易就是易變體色的蜥蜴。在幾十年前，我們中國的學者，也跟着日本人如此說，中國人把中國自己的文化，弄得一塌糊塗，甚至說大禹是一條爬蟲，根本沒有大禹這個人。日本人這樣說，我們的學者也跟着這麼講，這些說法都是不對的，什麼叫易經？到現在爲止，大家考據討論的結果證明，還是魏伯陽對易經作的解釋最爲正確，因爲後來出土的甲骨文上，找到易經的易字，就是太陽、月亮的象形字，上下合在一起，就是遠古時代的易，照易經文化來看，我們的歷史，應追溯到兩百多萬年以前，我們現在自己號稱五千年歷史，那還是太謙虛了。兩百多萬年前的文化，易就是日月，可見「剛柔相摩，八卦相盪」就是太陽月亮以內的宇宙法則。

明白了以上這些，現在我們再談八卦相盪的問題。所謂盪，如同盪鞦韆一樣，一來一往，六十四卦就是八卦的一來一往，彼此相盪出來的。以先天卦的方位來看，如以乾卦爲標準，乾卦一盪，與兌卦碰在一起，於是便成天澤履卦，反過來，兌卦一盪，碰到乾卦，於是成爲澤天夬卦，乾卦如果盪到另一邊，碰到巽卦，於是便成天風姤卦，無論以任何卦爲標準，都是一樣。昨天報紙刋出，美國總統福特去大陸，有人爲他卜了一個卦說如何如何，靈不靈且不管，不過有時候拿來玩玩，或是心裏實在不寧靜，生死存亡之間，來玩玩亦不錯，準不準呢？等於在事急時，禱告上帝，拜求菩薩一樣，也可以在這中間找出辦法來，找出生路來，因而一下子精神便安定下來了，這也可以說是精神的最高寄託，但卻與宗教信仰不同，宗教信仰是依賴的，是把自己交給另外一種看不到的神，而卜卦則是可以在自己的智慧中解決問題，找到所應走的道路，這就是盪的道理，也與上面所說綜卦的道理一樣。

這裏孔子研究易經的報告所謂剛柔相摩，是說這個物理世界的剛柔相摩，用現代語勉強解釋爲堅硬的和柔軟的互相磨擦，譬如物理世界最柔軟的東西，老子常說是水。老子的思想，孔子的思想，諸了百家的思想，沒有不是從易經裏出來的，如「塞翁失馬，焉知非福。」等這一套觀念，也都是從易經裏面出來的，所以老子亦說，「福者禍之所倚，禍者福之所伏。」都是來自易經的思想。我們研究了易經，再研究老子思想、孔子思想的問題，就可迎刃而解了，天地間沒有絕對的，老子提到世界上最柔的是水，剛強的，終歸會軟化，水一滴一滴，都是軟的，沒有骨頭，風一吹就乾了，可是不管是鐵板、硬石，年深日久，都會被這一滴水滴穿了。老子是在這個觀點說水是最軟的，實際上照易經的道理，水還不算最軟，因爲水還是有形態的，最軟的是沒有形態的，是空間，是這個虛空，那虛空有些什麼呢？普通說來，虛空就是沒有東西，而易經的道理，和現代科學觀念一樣，認爲虛空中並不是空無一物，而是充滿了原子，我們的手在虛空中揮舞一下，虛空中的原子便都動了，發生作用了，這樣宇宙便已經受了很大的影響，好像是一顆小石子投到河裏一樣，開始時祇見到一點小波紋，這個波紋照科學的道理，慢慢擴大開去，一萬年以後還在擴充，所以任何一點的動，都會產生很大的力量。空是柔的，剛的可以被空摩掉，由這個道理說明剛柔相摩，是互相摩擦，幷不是剛不及柔，有時候柔的東西也會被剛尅掉，這是剛的成分較重的關係。易經的道理告訴我們，像一架天秤一樣，那一頭重，這一頭就高起來，這一頭重，那一頭就高起來，不能均衡，幾乎沒有一個時間是均衡的，均衡是最好的狀態，但是很少，就以我們自己的心身來說也是如此，我們心理方面的思想，沒有一個時候是均衡的，不是心理不舒服，就是思想在混亂。一般人說打坐修道，什麼叫作「道」，能經常保持心身的均衡就是道，那麼打坐，又何必閉起眼睛，盤起兩條腿裝模作樣呢？我們知道打坐的目的，也是求得心身的均衡，如果心身不均衡，打坐亦沒有用，大家都有幾十年的經驗，每天不是情緒不好，就是身體不舒服，過分高興也不是均衡，身體絕對沒有一點毛病，心理絕對平和的狀態，生活一百年，也難得有十天到達這種境界。這些都說明了，剛柔時刻都在相摩，因此就產生了大宇宙間八卦相盪的道理。這個道理，推於人事，我們亦可了解，人與人之相處，不管是在一個團體或一個家庭，不可能永遠沒有摩擦，因為「剛柔相摩，八卦相盪」這個宇宙的法則，都是兩個彼此不同的現象，在矛盾、在摩擦，才產生那麼許許多多不同的現象。一切人事也都不能離開這個道理，我們學了易經的好處，就是對於人事的處理會有更好的原則，例如對方發了脾氣，就會勸他不必動怒，等一等再說，等他的這一爻變了，變卦了，他不氣了，再談下去，又是另一卦的現象了。學通了易經的人，對別人在發脾氣，自己覺得沒有什麼，他火發得天大，那是「火天大有」，讓他發去，發過了以後，反過來「天火同人」兩人還是好兄弟，算了，不要吵了，學通了易經，用之於人事，便無往不適了。

時與位

易經上告訴我們兩個重點，科學也好，哲學也好，人事也好，做任何事，都要注意兩件事情，就是「時」與「位」，時間與空間，我們說了半天易經，都祇是在說明「時」與「位」這兩個問題。很好的東西，很了不起的人才，如果不逢其時，一切都沒有用，同樣的道理，一件東西，很壞的也好，很好的也好，如果適得其時，看來是一件很壞的東西，也會有它很大的價值。居家就可以知道，像一枚生了銹又彎曲了的鐵釘，我們把它夾直，儲放在一邊，有一天當颱風過境半枚鐵釘都沒有的時候，結果這枚壞鐵釘就會發生大作用，因爲它得其「時」。還有就是得其「位」，如某件東西很名貴，可是放在某一場合，便毫無用處，假使把一個美玉的花瓶，放在厠所裏，這個位置便不太對，所以「時」、「位」最重要，時位恰當，就是得其時，得其位，一切都沒有問題。相反的，如果不得其時，不得其位，那一定不行，我們在這裏看中國文化的哲學，老子對孔子說：「君子乘時則駕，不得其時，則蓬蘽以行。」機會給你了，你就可以作爲一番，時間不屬於你，就規規矩矩少吹牛。孟子亦說：「窮則獨善其身，達則兼善天下。」這也是時位的問題，時位不屬於你的，就在那裏不要動了，時位屬於你的則去行事，八卦相盪就包涵了這許多道理。

日月運行 寒來暑往

現在再繼續講到：「鼓之以雷霆，潤之以風雨，日月運行，一寒一暑。」

物理的法則，宇宙的法則，我們感覺到，人生在地球上，受天體的變化，氣候的影響，尤其學中醫的，更要留意，所謂風寒暑濕，這是外感進來，最容易發生病態的情形，這些都是易經所說太陽、月亮以內的宇宙法則，這個自然的現象，都是可愛的，在這裏我們可以看到孔子寫文章技巧的高明了。我們說過，「繫傳」這篇文章，純以文學的價值來說，比老子、莊子兩本書更美，讀起來更有節奏音韻感。「鼓之以雷霆」可不是打鼓的意思，也不是說像打雷的聲音一樣，這個「鼓」字的意義，等於現代四川人說「生氣」爲「鼓氣」的「鼓」字一樣，吹氣吹脹了就謂之「鼓」，這裏就是這個意義。宇宙自然的法則，必須要有雷電的震動，才能維持宇宙萬物均衡的發展，用易經的道理來看這個宇宙，有時候大風、大雨不一定壞，譬如颱風在我們來說，颱風來了，破壞了農作物，吹倒了房子，覺得它很壞，但在整個大自然來說，在某一個角度，某一個時間，某一些情況下，卻需要這一個颱風，否則的話，自然界的各種生命，便會發生某種意想不到的問題，宇宙間必須要這樣的震動才好，所以要「鼓之以雷霆」，不過假如宇宙永遠在打雷，那也就糟了。太乾燥了不行，又要「潤之以風雨」，宇宙自然的法則，刮風下雨，天陰天晴，每一個現象都不能缺少。太陽月亮的運行，構成了一寒一暑的流轉交替。這裏要注意的，易經沒有講春秋，祇有講寒暑，冬夏則用得很少，易經的道理是宇宙祇有冷與熱兩種對比，人們覺得春秋兩季，不冷不熱最舒服，剛好中和。在易經的道理上看，秋天是開始冷，小冷，春天是開始熱的小熱，所以易經祇是說兩個東西的對比，寒暑兩種而已。夏天是熱到了極點，冬天是冷到了極點，這樣一寒一暑，便形成了這個五彩繽紛的花花世界。

十二辟卦

說到這裏，我們要注意到下面這個圖表：

這個圖的中心是空的，我們暫時不去管它，以後再討論，其實這個中心最重要，它代表了太極，亦即是本體，是空中無物的，外面第一圈，是十二個卦，這十二個卦，在易經有關的書上，有一個專門名稱，稱作「十二辟卦」，所謂辟，等於「闢」，有開闢、開始的意義，還有一個觀念，大家要注意的是十二辟卦，又名侯卦，意思是諸侯之卦，以前迷信，卜到這種卦，認為命運了不起，是方面大員的諸侯之卦，可不要去相信這一套，根本不是這麼一回事，所謂「侯卦」祇是一個代號，易是以古代的政治制度來作比方，中央的是天子，坐鎮各方的是諸侯，大諸侯鎮守十二方，所以名爲侯方，再清楚的說，易經是拿我們古代的政治制度，來說明這十二個卦的位置和性質，并不是說卜到了侯卦，就非當諸侯不可，否則諸侯

一歲十二月六陰六陽之象

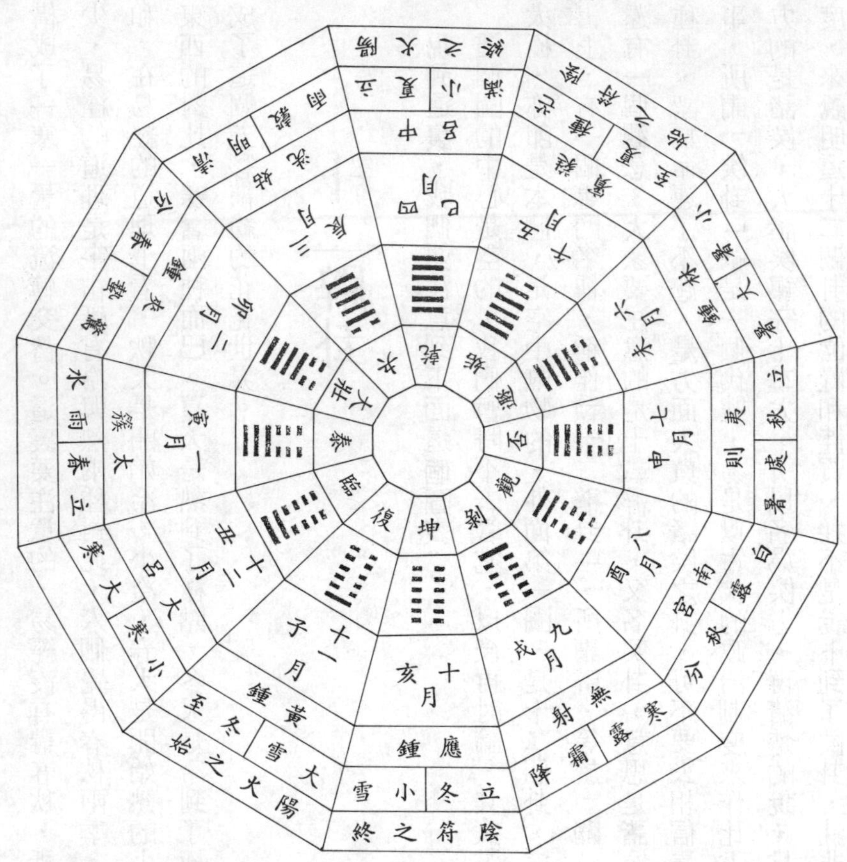

當不成功，可被人當猴子要了，李宗仁就被人要猴子。孔子說過，學易經學好了，就絜靜精微，的確了不起，學不好就是「賊」，學這套久了，很容易走上迷信的歧路，實際上這是最高智慧的東西，這十二辟卦之名爲辟，是根據繫辭下傳第六章：「子曰乾坤其易之門邪。」來的，孔子說，研究易經第一步先要研究乾坤兩卦，乾坤兩卦懂了，易經的門就打開了，可以開始研究易經了。

陽物、陰物、錯把馮京當馬涼

說到這裏，我們順便把這章講下去：「乾，陽物也，坤，陰物也，陰陽合德，而剛柔有體，以體天地之撰，以通神明之德。」

孔子推崇乾坤兩卦的確是了不起，但是有一點要特別注意，近六、七十年來，我們中國文化，被自己人搞得一塌糊塗，有幾位非常知名的學者，和若干大學教授亦如此說，還有日本人也這樣說，他們說：易經講陰陽是講男女的生殖器官，陽就是代表男性的陽具，陰就是代表女性的陰戶，而且他們舉出「乾陽物也，坤陰物也」這兩句話來，說是孔子這樣說的。其實在唐宋以後，男性的生殖器官才稱作陽物，在唐宋以前稱作「勢」則有之，并沒有人稱作陽物。孔子這裏所說的「乾陽物也」，是說陽性的一切東西，而現在的人把後世的名辭，套到古文中去解釋，可眞是豈有此理！等於老子講物，有人說老子是唯物主義者，是一樣的荒唐。在秦漢以前的人對「物」字的觀念，并不如後世的物質觀念。在秦漢以前的物，等於我們現在口語中的「東西」，可能在一千年以後的人，再來考證我們今日文章中的「這個東西」一句話，會要命的，譬如現在的人罵別人，往往會說「簡直不是東西！」或「討厭的東西」、「你是什麼東西」等，也許一千年以後的人，可以大寫一篇一九七五年關於「東西」的考證文章，而拿到博士學位，現在的人就很懂，知道「你是什麼東西」這句話是罵人的，那麼古人的「物也」，亦就是我們今日說的「東西」，所以不能說孔老是唯物主義者。這裡孔子是說，乾可以代表陽性的東西，坤可以代表陰性的東西，這是很明白的，這種話好像是很枯燥，可是有人曾寫了好幾本「大」書，用來教育我們的下一代，可惜錯了，所以我們要多了解一下，便於糾正下一代的不正確思想，免得把古代的孔子、老子搞得那麼慘！

陰陽與剛柔

接下來「陰陽合德，而剛柔有體，以體天地之撰，以通神明之德。」

意思說人把乾坤的道理弄清楚了，就可以通天通地，而上面這一個表，就是說明「乾坤其易之門邪」的道理，先要把乾坤兩卦的變化研究清楚。

這圖表自內向外為序的第二圈，畫的是卦象，第三圈是地支，代表月分，如今天是中國曆的十月，為亥月，天氣已冷，但有幾天暖和，是「小陽春」。十一月是子月，十二月是丑月……，依次配合，再外面第四圈，應鍾、黃鍾、大呂，是中國音樂的名辭，這十二個音樂上的名辭，通稱為律呂，亦是氣候的變化。最近看到一分報上，有一位研究音樂的教授，大罵律呂的文章，其實是他不懂什麼是律呂。另外一位大學者，說外國音樂祇有七個音階，而我們中國有十二個律呂，這又錯了，還有一位申請某項經費的老教授的論文中，亦說到律呂的問題，但似是而非，所以要研究中國文化，這些都要了解的，再第五圈是二十四個節氣，將來研究易經象數方面，亦卽科學方面，這個十二辟卦的法則，一定要記住。一年當中，分十二個月，這十二個月，一半是陰，一半是陽，以一天計算，同樣一半是陰，一半是陽。以每天的子、丑、寅、卯、辰、巳六個時辰，亦卽深夜的十一時零分零秒，至次日上午的十時五十九分六十秒是陽，而午、未、申、酉、戌、亥六個時辰，亦卽上午的十一時零分零秒，至夜間的十時五十九分六十秒爲陰，這是我們中國古代的科學，現代西方人研究中國鍼灸，亦就以現代的科學來求證，證明它的道理，不能說它不科學。我們中國的這個曆是夏禹的曆法，又叫夏曆，又叫陰曆，因以太陰——月亮爲標準，每月十五，月亮從東方出來，一定是圓的，用這個標準，可以知道各地潮水的起伏升降，推測出農作的時間等等。我們中國人過年，還是喜歡過陰曆年，陰曆正月是寅月，十二地支以「子」開始，而夏曆的子月是十一月，十一月的節氣有冬至、大雪（一個月有兩個節氣，其中一個是節，一個是氣），大雪是節，冬至是氣，這時候一陽始生，故爲復卦，我國古人早知道地球的外面爲太陽，月亮，金、木、水、火、土五大行星所圍繞；月亮本身不會發光，是藉太陽的光反射而亮的，而且知道月亮半圓時，另一半是在黑影中，并不要等到近世用儀器或太空人爬上去才知道的，況且知道各星球都有放射能量的功能，地球一方面在吸收其他星球放射的功能，同時它本身亦在放射其能，和其他星球的功能相互影響，這些理論在古書上都有記載，可知我國古人對宇宙的科學，非常了解，地球吸收太陽和宇宙的功能原是這樣的。夏至一陰生以後，開始漸漸吸收宇宙的功能，一直到冬至吸到地心，在古代是說陽氣下降到地心，到了冬至才開始漸漸外放。古人幷說陽氣從地球放射到高空的時候，可到達九萬六千多丈，這不能說我們的古人不科學，幾千年前，他們就知道地球的放射功能，會達到太空其他星球的一定界限，亦就是現代所稱的游離電子層那個界限。地球到了冬天把陽能——現在可稱作太陽的放射能吸到地心去，我們從井水的情形就可以知道，夏天的井水是涼的，冬天的井水是溫的，就是因爲地下有陽氣，所以我們中國人吃東西，亦是依照宇宙的法則來的，冬天可以吃冰淇淋，吃太涼的東西亦沒有關係，因爲胃的陽能內斂，夏天外面熱得很，而陽能向外放射，裏面是空的、是寒的，所以不吃冷的，因此中國人以前空腹不吃水果，飯後亦不吃水果，一冷一熱，慢慢易出毛病，現在卻學西方了，飯後吃水果，反而認爲科學。

到了十一月，陽氣重新生起來，中國人冬至進補，就是這個道理，因爲這時消化力特別強，補品吃進去，營養容易吸收，同地球的道理一樣，所以冬至一陽生，是十一月開始，卦象是復卦「䷗」上面都是陰爻，代表寒冷，一陽生，從地底的功能發生來的。

古書上說：「冬至一陽生，夏至一陰生」，那麼陽是什麼？它是說明地球的物理，這是其中之一，易經包括的學問太多了，如學醫，先要把易經研究透，因爲人體的內部亦有一陽生，有些年紀大的，或者比較衰弱的，不必害怕，因爲人隨時有一陽生的現象，祇要把握住這初生的一陽，適當調攝，就對健康有益。像有些人睡不着，好像是失眠，其實是體能消耗到要恢復以前，可能精神非常旺，不想睡，要注意，這不是陽氣而是陰氣，和地球物理一樣，但過了這個階段，非常想睡，會大睡，那就是一陽生的現象，這就是復卦。

節氣與十二律呂

什麼是「黃鍾」？就是律呂。十二律呂是中國人的發明，我們研究音樂，常提到絲、竹、管、絃，其實這都是後來的，最早是土石做的，後來才用絲做弦，用竹做管，即所謂絲竹管弦。我們中國的音樂與西方人不同，是聲音比較細，這是由於中國幾千年來，都是農業社會，不像美國一開始就是工業社會，過群體生活，西方人運動亦是大家一齊來，中國人的運動也多是各人搞各人的。音樂方面，中國人彈琴，是給自己聽的，西方文化，由於群體社會，藝術表現是給別人欣賞的，不是爲了自己的欣賞。其次音樂的發展也與中國不同，中國的音樂是不規則的，因其不規則，音樂藝術的境界就很高了，而西方的音樂則是規律化的，表面上聽起來很好，實際上眞要講究律呂還差得遠。但是中國的音樂太深了，深得很難使人欣賞了解。曾經有一個笑話，有一個人彈了一輩子箜篌，有一次開演奏會，聽衆滿堂，可是他祇彈了一半，聽衆都走光了，祇剩下一個老太婆，坐在那裏流眼淚，這位箜篌家大爲高興，發現在這個世界上到底還有一位知音，詢問之下，原來這位老太婆是一位寡婦，聽了「哆！哆！噹！噹！噹！」的箜篌聲，想起了彈棉花的亡夫，所以不禁流下眼淚來。從這個笑話，可知中國音樂不容易欣賞，律呂的道理，不容易了解。

律呂的發明，是在中國的西北，陝西、河南邊界，有一種呂管，形狀據說像竹子又不是竹子，長短粗細，有一定的標準，共有十二種，埋在地下，傳說是埋在天山的陰谷，由於這十二種管子長短不一，深入地下的長短也不同，而上端則是齊平的，管中充滿了蘆灰，管口用「竹衣」（竹子內的薄膜）輕輕貼上，到了冬至一陽生的時候，最長管子中的灰，首先受到地下陽氣上升的影響，便噴出管外，同時發出「嗡！」的聲音，這就叫黃鍾之音，然後每一個月有一根管子的灰噴出來，亦發出不同的聲音，這樣由黃鍾、大呂、太簇、夾鍾、姑洗、中呂，屬於六陽，下面蕤賓、林鍾、夷則、南宮、無射、應鍾是屬於六陰，陰陽不同，這又講到中國的音韻學了，如作詩，中國有一本「詩韻」，分一東、二冬、三江、四支等等，如其中「東」與「冬」，同是平聲，但仔細去研究，它的發音有陰平、陽平之分，東是陽平，冬是陰平，因此後來到了邵康節研究易經，就知道任何一種聲音的震動，都有八萬六千多個幅度，在某一種幅度，聲音可以殺人，在某一種幅度，聲音可以救人，這種理論，在近世西方才證明到，可是我們祖先早就知道了，能說我們不科學嗎？可惜我們子孫不爭氣，沒有在這些科學上求發展，亦可以說我們這些子孫很爭氣，因爲懂了這些道理以後，覺得沒有什麼稀奇，不拿到物質方面來運用。

現在話說回來了，黃鍾，是在十一月，亦是子月，到了一陽初生的時候，卦是復卦，到了十二月陽能又逐漸上升了一些，初爻和第二爻都是陽爻，有兩個陽了，因爲內卦變了，成爲兌卦，兌爲澤，於是重卦成了地澤臨卦了。在節氣上，小寒是節，大寒是氣，到了正月是寅月，是地天泰卦，所謂三陽開泰，就是說已經有三個陽了，律呂是太簇之音，節是立春，氣是雨水。二月是卯月，卦象，內卦是乾卦，外卦是震卦，震爲雷，雷天大壯。二月是大壯卦，大陸上放風箏，可以飛起來了。二月的驚蟄節非常重要，在立冬以後，蛇蟲青蛙就看不見了，口裏含一團泥巴，鑽到地底下，不食不動，半死狀態，現代科學上稱作「冬眠」，我國古代稱作「蟄」或「蟄伏」，要到二月間雷天大壯的時候，第一聲春雷一鳴，這些蟄伏的蛇蟲青蛙，吐出口中的泥巴出洞了，稱作驚蟄，過去農夫驚蟄以後下田耕作，一不小心，觸到毒蛇含過的泥巴，會中毒腫痛。在大陸未過驚蟄，農作物種子下地便不會發芽生長的，一定要驚蟄第一聲雷以後，才會開始抽芽，這個科學的道理，大家沒有注意。前幾年有一位美國農化方面的教授，來臺大農學院講學，他亦研究易經，所以有人介紹來看我，談起他們美國人現在也知道研究雷和生物的關係了，據他們的研究，一聲雷的結果，可以在地面產生八十萬噸的自然肥料，我告訴他我們中國人老早就知道了雷的作用，而且易經上告訴我們，雷有八種之多，水雷屯，澤雷隨，風雷益，天雷无妄，火雷噬嗑，山雷頤，地雷復，震爲雷等，而地雷復的雷肥料最多。易經的學問太多了，如中醫亦是由易經來的，人的身體變化，亦和宇宙法則一樣，如沒有研究好易經，把脉不會把出結果來，中醫的望、聞、問、切，先用眼睛看病人是什麼顏色？一看神氣，對他的病就知道了一半，再聽他的呼吸，聽他講話的聲音，就知道了一些症狀，第三問，同西醫一樣，了解病人的年齡、籍貫、職業，如一個運動家和一個坐辦公室的公務員，病狀決不同，他們患同一的病，但用同一的藥方，有一人會減少效果或沒有效果的，所以要問得很清楚。一個醫學上的故事，唐代有一個人頭痛，求神醫孫思邈診治，經過按脈，這人并沒有病，到病人的居所一看，一條壁縫，正對他睡覺時的頭部，亦就是頭痛的地方，把床位移動，就不痛了，所以平常坐位置，亦要注意，一線風容易使人受病，處身在大風中反而沒有問題，因爲有了抵抗的準備。有一個朋友半身不遂，中醫沒有辦法，我勸他到西醫那裏檢查牙齒，他最初認爲不可思議，後來檢查發現有一顆牙齒壞了，拔除這顆牙齒，半身不遂好了。過去牙科醫生最難，要學七年才能畢業，醫師會診，牙醫是坐首席的，有如此重要，可見爲醫之難。我有一次在國防醫學院講演，我說沒有醫生能醫好病的，醫生如能醫好病，人就不會死了，但醫生照行醫，人還是照死，中國有句俗話：「藥醫不死病，佛度有緣人。」有一個病，中西醫都醫不好的，這是什麼病？「死病」！我又說，現在學醫的人動機很壞，都是爲了想賺大錢，這是很糟的，以賺錢爲目的學醫，就不去學醫理，祇是學點技術，所以醫道越來越退步。學醫當學醫理，在德國就有醫理學家，可見人家對醫的重視。

我說這些閒話，是說明易經中的學問，沒有那一樣的原則不包括進去。

三月的卦，到了春天了，節氣是清明、穀雨，大陸的氣候，最舒服是清明，眞是天朗氣爽，和風徐來。另一個是相對的秋分，孔子所以寫春秋，因爲春分和秋分都是均衡的，氣候不冷不熱，這時以易經的地球物理來說，是夬卦，外卦是兌卦，兌爲澤，內卦是乾卦，乾爲天，澤天夬，這個卦象，表現出地球物理的氣象，與我們人類生活息息相關的，陽能快要全部上升完了。

到了四月是乾卦了，這是陽能到了極點，實際上每年最難受，最悶熱的是四月，跟着來的是五月，這個卦的六爻，陽氣開始減少了，每年十二個月如此，每天的十二個時辰亦是一樣，這在熬夜的人就會知道，我自己亦有這樣的體驗，到了深夜十二點，子時正的時候，不管自己睡不睡得着，閉起眼睛休息一下，十分鐘，二十分鐘就行了，過了這個階段，可以再熬下去，眞的要睡覺的時候，是早上四五點的時候，這時候不要去睡，如果睡下去，整天都會頭腦昏昏，過了寅、卯這兩個時再睡，才能睡得舒坦，人的身體內部生理變化，和易經所說的宇宙法則完全一樣，懂了這個道理，則養生之道，操之在我。

四月陽能的放射到了極點，到了五月，於是有一個節氣夏至來了，所謂冬至一陽生，夏至一陰生，開始回收了，以現代的地球物理來說，地球又開始吸收太陽的放射能進來了，就像人類的呼吸一樣，要吸氣了。說到人體與地球的關係，曾經有人說，要節制人口，否則糧食不夠，我認爲節制人口，沒有用處，將來人口還是愈來愈多，糧食不夠，是人類把地球害了。中國老祖宗說過，地球、太陽、月亮，都是「物也」——一個東西，這個東西，人類把它害了。我們中國在漢代就發現了煤礦，可是不准挖，易經的道理，地球是挖不得的，現在自然科學進步，挖煤、挖油、挖鈾，挖各種礦，到處挖，好像一個蘋果，被小孩偸偸用小匙挖來吃了，天天挖下去，表面上看來是完整的，實際上祇存了一個壳壳，裏面空了，開始爛了，於是蟲就生得越多，和地球上的人類一樣，越來越多，所以無論用什麼方法節制人口，亦沒有辦法，這是中國道家的看法。中國人素來認爲地球是一個活動生命，也這樣來讚美它。

美國人近十二年打洞到地心去探勘，中國人幾千年前就知道地下是通的，道家的「五嶽眞形」這部書，過去大家都看不懂，書裡邊古古怪怪的，東一個洞，西一個洞，洞與洞都是相連的；另外道家也說甘肅的黃陵後面有一個封了的洞，據說這個洞可以通到南京，許多洞都是通的，也有人說地球的呼吸在西北新疆，清朝有一本書指出，該書的作者曾經實地看過，在塔里木齊有一個洞，每到清明一定的時間，會像人歎氣一樣發出聲音，并由洞裏吹出風來，無論人畜，如果遇上這股氣，連影子都找不到了，被化掉了；這股氣吹出去，吹到西伯利亞等地，經過二十四小時又會回來，就像人吸氣一樣，吸進去，然後又安然無事了。在沙漠地帶，人隨水草而居，水是會搬動的，水搬移起來很怪，一個湖，水會像一方豆腐一樣，在地上滾動，而所經過的途中，地上還會遺留一些魚蝦之類的生物。這是一位青海籍的蒙古族朋友告訴我的，是他親身所經歷，所見到的，我們不妨姑妄言之，姑妄聽之，所謂讀萬卷書，行萬里路，我們人類的知識到底有限，有些事不能不信；像古書上說的「大塊噫氣」，所謂大塊就是「大塊假我以文章」的「大塊」，即是地球的意思，大塊噫氣，即地球歎氣，所以我們中國道家的觀念，始終認爲地球是一個活的生命，它本身也會呼吸，而人類之於地球，等於跳蚤之於人類，人類看見自己身上的跳蚤就抓了，地球對於我們人類，亦很討厭，在它身上爬來爬去，還弄些十輪大卡車滾來滾去，好像人類生了疥瘡一樣，除亦除不掉，很難受。所以用易經的道理來看地球，乃至這個宇宙、天體和我們人類的生命，同是一個整體，生命的法則也是一樣。所以五月是夏至一陰生，一陰生的現象，從人類社會中也可以看見。現在都市中由於冷暖氣的影響，較不顯著，試到鄉下去觀察，就可看到土牆房屋的牆壁，在夏至以後，便發霉了，表示潮濕來了，陰氣來了。人的身體保養要注意，如果吹多電扇，加上吃冰淇淋，沒有不生病的，那時生病的人特別多，就是一陰生的關係。

六月是小暑、大暑的節氣，所謂三伏天，這時常看到有些人去貼膏藥治病，這時是陽氣慢慢要退伏了，所以名爲「伏」，每十天一伏，三伏有三十天，所以夏天我們體外感到很熱，這是身上的陽能向外放射，而身體的內部，還是寒的，所以夏天的消化力，反而沒有冬天好。以現代醫學來說，夏天維他命乙的消耗更多，尤其在臺灣爲然，試以麵粉實驗，在臺灣的夏天，麵粉中的維他命乙揮發得更快，有時候我們覺得精神不夠，心裏悶悶的，實際上就是維他命乙不夠，要注意補充。在某一地方，需要些什麼，要特別注意，像產婦在臺灣要吃麻油鷄，在大陸有的地方要吃紅糖、老薑鷄湯。我們小時候到外地讀書，老祖母要在我們的書箱裏放一把泥土，這是爲什麼？第一是鄉土觀念，老祖母希望我們不要忘記了自己是那裏人；第二這把泥土很有功用，在外地生了病，治不好的時候，用這種家鄉的泥土泡水喝，病就會好，我自己就有過這樣的經歷，還是多年前在西康邊境，有一次身體很不舒服，自己認爲不可能生病，想不出生病的原因，找醫生治療，診斷沒有病，後來找到一位老和尚，亦是一位名醫，他替我把脈以後，亦說我沒有病，但是他再進一步問到我是浙江海邊的人，診斷是鄉土病，建議我找家鄉的鹹魚吃，我看過醫書，這個說法很有道理，趕快找來吃了以後，果然見效，所以有時候會生這種病，亦不必害怕。

在這個圖案上，依十二地支的次序，一個月一個月過去，最後亥月，是農曆的十月，在卦上爲坤卦，是純陰的境界，不過十月有一個小陽春，陰極則陽生，這時有幾天氣候的氣溫要回升。諸葛亮借東風，就是利用這個氣候，曹操當時敢於把戰船合併起來，因爲他識天文，知道氣候的變化，把戰船合併起來，唯一的缺點是怕火攻，但自己的水上陣地在長江上游，是西北方的位置，東吳的戰船在下游，處於東南，時間正是冬天，吹的是西北風，東吳不能用火攻，諸葛亮、周瑜亦知道可以用火攻，可是周瑜愁於沒有東南風可助，於是諸葛亮借東風，這完全是諸葛亮玩的花樣，東風那裏眞是它借來的，眞正的原因是諸葛亮懂得易經，知曉天文，在某一個氣候的前三天後三天，會轉東南風，他算準了這個日子，所以裝模作樣借東風，展開攻勢，打敗了曹操。曹操失敗以後，回到洛陽，翻開易經一看，不禁哈哈大笑，他的部下感到奇怪，問他這一仗敗得如此慘，還有什麼可笑的，曹操說我花了那麼大的本錢，今日才讀懂了這一段易經。這就是十月天的氣候變化，所以這一個圖案，一定要熟記，還有八八六十四卦，也一定要背誦得很熟，將來用起來才方便。

十二辟卦的應用

易經八八六十四卦熟記以後，用處很多，其中一個很大的用處，就是自己如果有一天，鑽進八卦中去，會非常快樂，裏面的天地很大，永遠玩不完的，上次已經說到十二辟卦，現在開始，每次講一點學習易經，必須具備的基本知識。上次的十二辟卦，就是中國過去對於天文的歸納方法，認爲宇宙法則，每年四季的現象和變化，這十二個卦，就是每年的十二個月代表的符號，而這十二個符號當中，包含的東西非常多，除了這十二個月以外，要注意到六十四卦的方圓圖。

這張圓圖的排列方法，已經說過了，六十四卦排列成如此一個圓圈的用途，使中國古代的氣象、天象進入到天文的理論上，這個六十四卦，則代表了一年，前面曾經說過，一年有十二個月、二十四個節氣，再在節氣下面分氣候，以五天算作一候，那麼一年有七十二候，天象天氣，每逢五或六天，則有一個轉變的現象，至於充分的準確度，則需要加上卦的數理去計算，在當年科學還沒有發達的時候，用易經的法則，預測氣象，非常準確，乃至可以預測到半個月以後，出門時是什麼天氣，到了某一目的地又是什麼樣的天氣，都可推演出來，當然有時亦和現代的氣象預報一樣不準，但大部份都很準。

這裏的圓圖，即是五天一候的排列方式，有幾種計算方式，大都是以六天爲一卦，六十卦則爲三百六十天，而乾、坤、坎、離這四卦，排列在上、下、左、右，不予計算，另外的六十卦，所佔的時間日數，有的較多，有的較少，這有另一套計算方法，高級的計算法，要併入年份，平潤去算，這是以一年來計算分析的。

以更大的範圍，計算國家歷史的命運，邵康節——邵雍算歷史的命運，以十二辟卦擴大，把宇宙的產生，到世界的毀滅，用十二辟卦來代表，比如說：「天開於子，地闢於丑，人生於寅。」宇宙的開闢，用子會，於是用十二辟卦中的復卦，這一階段，有一萬多年。然後形成了地球，是用丑會，十二辟卦的地澤臨卦，如一年中的十二月天氣寒冷，這和現代的地球物理學說一樣，在那時代，地球因冷而慢慢凍結起來，表面凸出的是高山，凹下的成為海洋，這是丑會。到了有人類存在天地間，已是進入了十二辟卦的泰卦，三陽開泰，為寅會。照我們這種古老的算法，認為宇宙的開闢一共是十二萬年，以後又是另外一個人文的局面，用現代的名辭來說，又是另外一個冰河時期。以目前來說，我們現在是處在「午」會，這是以堯甲辰年登位那一年作標準而開始計算的。一路分析下來，直到現在，來推算國家歷史的命運，依照他這一算法，我們這一代，正是處在國家民族倒楣的時候，要到民國七十三年國家民族才能轉運。照他的說法，轉運以後，有兩百到三百年的好運，比漢朝、唐朝、清朝的氣勢還要大。將來是否如此，暫不去管它，但依照這一套算法，對於現在以前的歷史來說，是算得很對的。市面上流傳的燒餅歌、推背圖，這一類推算國家命運的書籍，都是根據邵雍的「皇極經世」上那一套來的。這是在中國文化中一套很有系統的東西，把十二辟卦、圓圖方圖記熟了，知道了它的計算方法，就可以了解。一般人對「皇極經世」這本書推崇得最厲害，但在許多著作上，都搞不清楚它那種算法，認為不可靠，祇曉得那個東西，究竟怎樣推算？則不知道。其實把易經記熟了，然後知道了他的方法，大家都會算，但必須是把十二辟卦和方圓圖熟悉了以後才可以，這是提出來要大家特別注意的。

另外繼續以前講的繫傳—孔子研究易經的心得報告—易經所謂的理、象、數。這裏孔子所講的是「理」的部分，卽原理的部分，亦可以說是哲學的部分，所提到十二辟卦、圓圖、方圖的運用，是象數的部分，以現代名辭來說，是科學的部分。

生命的來源

現在繼續前次的繫辭第一章：

「乾道成男，坤道成女，乾知大始，坤作成物。」

先不要把卦看得太嚴重，那祇是一種符號，以外國新興的文化來看，亦可稱它作數理邏輯，亦可以稱爲符號邏輯，不過亦不可認爲易經就是數理邏輯，或符號邏輯，這祇是西方人新興起來的一種學問，借用一下這些新名辭是可以的，可不要把易經的學問拉得這樣低。乾、坤兩卦這個符號，在過去乾卦是代表男人，坤卦是代表女人，如過去寫婚書，男方的八字稱「乾造」，女方的八字稱「坤造」，就是以乾、坤兩卦爲代表。這種觀念的來源，在沒有讀過易經的人，認爲是江湖人物的祕語，實際上中國文化，幾千年來，都是以這兩個卦作代表的，乾道成男，坤道成女，這兩句話，亦牽涉到中國古代醫學的生理問題，乾亦代表了陽，坤亦代表了陰，男人就是陽，女人就是陰。「乾知大始，坤作成物。」乾坤兩卦，亦代表了宇宙物理的形成，乾卦這個符號，代表了本體。

宇宙是怎樣開始的，西方宗教說，宇宙是由一位主宰創造的，人類萬物都是依這位主宰創造的，但中國文化沒有這一套，中國文化祇說人命於天，如中庸所說：「天命之謂性，率性之謂道，修道之謂敎。」人命歸之於天，那個「天」并不是宗敎觀念的天，是形而上的符號，在易經上更沒有這種神祕的觀念，生命有個來源，哲學上稱爲本體，宗敎家稱作主宰、神、上帝、佛、道，而易經上稱之爲「乾」，宇宙萬物，都是從「乾」的功能發生的，「乾知大始」一切萬有，都是從乾而來。坤卦這個符號，是代表這個物質世界形成以後，在物質世界沒有形成以前，就是說沒有天，沒有地，沒有男，沒有女以前，那是本體——本體一辭，還是根據西方哲學文化觀念，翻譯而來，而在中國古代文化，則指那個物質世界尙沒有形成的階段是乾，等到有了宇宙萬物的這個世界的形成，它的符號是「坤」，「坤作」是說它的功能造作出來，造成了萬物。

我們讀繫傳文字很美，雖是古文，一看都認識，但是讀書要深思，這裡每一句話前後連接包括的內容很多，這是中國古文的簡化，可又有簡化的好處。尤其是在以前，孔子寫繫傳的時候，還沒有紙筆，那時一個觀念一句話，欲表達出來，不像現在一樣可以寫很多很多的字，而是用刀在竹片上刻字，多麻煩，所以一個字就代表了一個觀念，把這許多字湊攏來，就是後世所稱的古文。所謂文，也就是言語思想的湊合。古文，我們現在的人讀不懂它，反而指古文是狗屁，其實其中包括的科學、哲學道理，很多是值得我們注意學習的。

「乾道成男，坤道成女」這兩句話，後來發展到道家的闡釋，男性女性時說：男人一身都是陰性，祇有一點眞陽；而女人一身都是陽性，祇有一點眞陰。這就是說陽中有陰，陰中有陽。有些年輕同學不信這一套，我告訴他們不能不信，舉例來說，一個男人，身材威武，脾氣很大，所謂氣宇軒昂的人，往往有女性的情感及態度；反之，看來很溫柔的女性，而往往心理狀態則是男性化。心理學上的這種例子很多，如中國古代重男輕女的話：「青竹蛇兒口，黃蜂尾上針，兩般皆不毒，最毒婦人心。」好像婦人最壞了，我們接受了新的文化觀念以後，指責這類文字，重男輕女，但是深一層觀察，很有道理。女性的性情本來很溫柔，但下了決心的時候，果斷的力量比男性大，而男人個性非常激烈的，眞到了某一個階段時，反會猶疑不決，女性亦往往比男性聰明，有天然的敏感，所謂直覺，可是這一點，如果站在全面而言，又是男性更爲高明，而男性在全面雖高明，在某一點上則糊塗，世界上失敗的事情，又往往失敗於一個小點上，這是從心理學上看陰中有陽，陽中有陰的道理。「乾道成男，坤道成女。」這兩句話，在中國醫藥方面的學理研究起來，問題深得很，亦多得很，可見中國醫藥之難。如男女的更年期，女子在四十九歲左右，男子在五十六歲左右，有的婦女在更年期，生理起變化，個性的表現亦改變，原不喜說話的變得嚕嗦，原來愛說話的變得多愁善感、深沉、憂悒，原來保守的變成狂放，夫婦、家庭間出問題的，此一時期比青年人還要多，因爲生理、心理起了變化。而在中國幾千年前，易經上的乾坤兩卦，就把這個法則告訴了我們，這亦就是十二辟卦的道理，我們可以將它定名爲「生命變化的規律」。現在用十二辟卦說明如下：從人類的生命歷程來看，☰乾卦是自母親懷孕起，到嬰兒生下來，都屬於乾卦，爲完整的生命。開始變了以後，成爲䷫天風姤卦，這是從內卦第一爻開始變起，一陰來了，就人生歷程來說，這是女性的十四歲，二七一十四，十四歲在女性生理上會有很明顯的變化，但男性是以八爲一個單元來計算，是十六歲，男性十六歲也會有變化，不過不及女性的明顯，這亦就表明了男性在一點上的不聰明。中國的一部古書，「黃帝內經」，可稱作是人類的生命學，其中提到女子十四歲時天癸至，所謂「癸」，在天干中曾經說過，「壬癸水」，癸爲陰水，天癸就是月經，第一次月經開始，就把後天的生命破壞了，不過現在的情形不同，有的十二歲、十三歲就天癸至，這亦是易經的道理。人類越到後來，會越早結婚，人也越聰明，但生命也會越短暫。男性在十六歲以前，生命未進入後天，還是完整的，到十六歲以後，男性的乳頭會有幾天脹痛，這就等於女性的天癸至是一樣的，以女性爲標準，三七二十一歲，又一陰生長，是☶天山遯卦，四七二十八歲爲☷天地否卦，這樣每七歲爲一個階段，變一個卦，到七七四十九歲以後，這生命換一生命，爲更年期，男性則七八五十六歲爲更年期，現代的科學，亦是這樣判定男女的更年期，而在更年期中看病亦特別小心，在更年期注射荷爾蒙會有幫助，我們懂了這個法則，研究醫學、生理學、心理學都要注意，年齡的大體分類都是如此，人的年齡到某一階段，就有某一階段的生理、心理狀態及病態。如今日講少年問題，是中學階段，亦就是十四歲到二十歲這一階段，其實并不是現代如此，祇是現代社會開放了，容易看得見這些資料，過去亦同樣有問題，亦是在第一爻開始變的時候，生命的功能已經開始變了。所以做領導人、管理人的人，對於這種生命的法則，應該要了解。有時候在朋友之間，可以看到很多例子，多年的朋友到了五六十歲，會變成寃家，我常說這情形，兩方面都是病態，都是生了病，也就是生理影響，再依易經的道理，和黃帝內經的法則看人的生理，從眼睛最容易看得出來。眼要老花，都在四十二三歲開始，所以到了這個年齡，如果起初感到眼睛不舒服易疲倦，不待變成老花，第一趟快去看眼科醫生，第二用中醫的道理，培養腎經——中醫指的腎，并不止是腎臟而已，中醫的道理，左邊的腎屬陽，右邊的腎屬陰，左腎功能管生命，右腎功能在泌尿。中醫的腎還包括了腺體、荷爾蒙等體系，所以人到了四十二三歲這個階段，要培養腎這一部門的機能，同時要保養肝臟，否則肝臟出問題，但不一定患肝炎，如臉上某一部分發青、發黑，易動肝火發怒，而發生人事上的大問題。中醫診斷，從人的鼻上發紅，而可看出胃部發生了問題，甚至可依照易經的法則，推斷出將在那一年的什麼季節出問題。

現在繼續下去，我們看到另一個問題了，易經是一個什麼樣的學問？是我們先民的一種科學，一種符號邏輯，代表了數理的、宇宙生命、個人生命的作用。易經的文化為什麼拿來講做人做事的道理？第一個如此做的是周文王，第二個是文王的兒子周公，第三個人是孔子。把這一部分法則拿來講人生的道理，講做人做事的道理，我們上面看到的是有關科學部分的，而下面就是儒家的文化，說到人事方面來了。

至簡至易

「乾以易知，坤以簡能，易則易知，簡則易從；易知則有親，易從則有功；有親則可久，有功則可大；可久則賢人之德，可大則賢人之業；易簡而天下之理得矣，天下之理得，而成位乎其中矣。」

「乾以易知，坤以簡能。」祇這八個字，如把「以」字拿掉，實際上祇六個字，解說起來可麻煩得很，如「易知」的易，到底是易經的易，還是容易的易？這句話是說乾卦的功能，亦是宇宙的功能，要怎樣去了解它？亦可以說懂了易經，就可以了解他。「乾以易知」，第二個解釋亦可以說宇宙的功能是很容易懂的。我們認為以第二個解釋對，因為下面說「坤以『簡』能」，這個簡字亦有兩個觀念，一個是簡單的意思，另一個亦是揀選的意思，如我們的文官有簡任、委任，就是簡選的意思，古代皇帝派一個欽差大臣出去，亦稱簡選，就是特別挑選出來的意思，可以說是精選，而在這裏的「坤以簡能」的「簡」，是簡單容易，就是說易經的法則，不要看得太難，而是簡單容易的。自古以來，易經的學問，總被「神祕」這個觀念擋住了，這是錯誤的，眞懂了易經，一點都不神祕，最高的道理，亦是最平凡的道理，這兩句話，就是告訴我們易經是最平凡的。

「易則易知，簡則易從；易知則有親，易從則有功；有親則可久，有功則可大；可久則賢人之德，可大則賢人之業。」這幾句話的文字，都可以看得懂，不必一字一句解釋了，這幾句話的文字非常優美，但在研究人文文化上，有一點要注意的，儒家孔孟的思想，道家老莊的思想，乃至諸子百家的思想，都是從易經來的，這裏可以看到孔子把這一套思想，拿來做人文思想，所以下面他說：「易簡而天下之理得矣，天下之理得，而成位乎其中矣。」這裏孔子明白告訴我們一個道理，卽天地間最高深的道理最平凡，有些事所以會看不懂，認爲高深，乃是因爲我們的智慧不夠。天下之理在那裏，是「成位乎其中」，所謂「成位」以現代的觀念來說，就是「人生的本位」，或者「人類生命的價値」，生命的法則，生命的意義，都可以在中間找出來的。

上面是繫辭上傳第一章，接下來是第二章。

設卦而觀象

「聖人設卦觀象，繫辭焉而明吉凶。」

這裏先要注意，什麼是「繫辭」？我們上古的老祖宗畫一個卦，就是圖案畫，文字的開始，就是這個圖案畫，這個圖案最初構成了易經這一套畫八卦的法則，每卦下面加上文字的解釋，亦就是在圖案下面，吊上一些文字，來解釋這個圖案，這種解釋就是「繫辭」，上古我們的老祖宗畫卦，就祇是這個圖案符號，這個符號究竟是什麼意思？加上文字的解釋，是周文王、周公父子，加上孔子他們三個人的努力，構成了我們手中的這一本書，書中所有的文字，都是卦的繫辭。在這一段裏，「繫辭」兩字的意義是如此。後來所謂學道的，對於中國文化的觀念，一般人都把易經八卦看得那麼嚴重，實在不必要。孔子告訴我們不要那麼嚴重，第一個就講，研究態度要「玩」，爲什麼呢？「設卦觀象」每一卦的代表，都是假設的，它是一種符號邏輯，如果把它呆定下來就糟了。譬如說，把乾卦一定看作是天，那又不一定了，在人體上，乾卦又是頭，坤卦又代表腹部，巽卦是鼻子，坎卦代表耳朵，離卦代表眼睛，艮卦代表背部，震卦代表心，兌卦是肺等等，都是符號，古代的醫書，都用卦來作代表，我們看到古代的醫書說到震，這又代表了心臟，亦包括了思想，這是道家的代號，在易經中，卦對人體的代號又各有所不同，這就是設卦的道理。研究易經，要注意「設卦觀象」四個字，大家欲懂得未來的發展，所謂未卜先知，未來的世界，明年的國家大事如何，自己在心裏卜一卦看看，設他一卦，觀它的現象，「觀象」有兩層意思，一是看卦的現象，一是看眼前所見事實的現象，來和卦象配合，因此加上文字的解釋，而明白事物的好壞。

「剛柔相推，而生變化。」

這裏要注意，易經的道理，并不如想像的那麼多，它講人事的法則，祇有吉、凶兩個結果，不是好，就是壞，沒有中間的，不是進步，就是退步，沒有停留在中間的。人的身體，不是健康好一點，就是衰老一點，爲什麼祇有吉凶？因爲人生的物理，祇是陰陽的變化，物理支配的東西，剛柔相推，物質社會受物質支配而生出了各種現象，形成各種環境。

一動不如一靜

現在回過頭來說用在卜卦算命上，亦有一個哲學的原理，先要了解，這就是繫傳二章所說的，現在我們繼續講繫辭上傳第二章：

「是故，吉凶者，失得之象也；悔吝者，憂虞之象也；變化者，進退之象也；剛柔者，晝夜之象也。」

這就是哲學問題了，這是說人類文化，我們人類認爲的吉凶，好的或壞的，以哲學來說，沒有絕對的，而是根據人類本身利害的需要；我們得到，便覺得是吉，失去便覺得凶，但這幷非絕對。譬如說得病，這個得就不是吉，而且人生得意不一定是好事，有時失意亦不一定是壞事，所以對於古文，不要僅在文字表面上讀過去，而要知道在文字的深處包涵了很大的哲學思想。可見吉凶祇是根據個人的觀念而來，而悔吝就是憂煩愁慮之象；虞卽慮，前面說過，卜卦的結果，不外吉凶悔吝四個字，沒有六個字，換句話說祇有兩個字──一個是好，一個是壞──或吉或凶，悔吝祇是加上去的。因爲「悔吝」兩個字，是憂慮，在易經中一方面是小心，如卜到一個卦是悔吝，就是有煩惱，事情辦不通，有困難。所以人生的一切，看易經祇有四個角度，吉凶悔吝，這吉凶悔吝怎麼來的，下傳有兩句話：「吉凶悔吝者，生乎動者也。」人生的一切，任何一件事，一動就有好有壞，再說任何一動，壞的成分四之三種，好的成分祇四之一種，所以中國人的老話，一動不如一靜，凡事一動，吉的成分祇有四分之一，壞的成分有四分之三，不過這三分當中，兩分是煩惱、險阻、艱難，如此而已。這把宇宙的道理、人生的道理、事業的道理都說清了，所以儒家就知道愼於動。動就是革命，變更一個東西，變革，譬如創業，譬如新造，這個動不是不可以，但需要智慧，需要作愼重的考慮，所以學了易經的人不卜卦，因爲大概的道理都知道了，「善於易者不卜」，用不着卜了，看現象就明明白白了。

千變萬化　非進則退

「變化者，進退之象也。剛柔者，晝夜之象也。」

這是兩個觀念，古時的文字很簡單也很美，它的文學境界，往往騙住了我們的思想，這兩句話，包含的意義很多。「變化」，易經告訴我們宇宙間任何事情、任何物理，隨時隨地都在變化，沒有不變的東西。八八六十四個卦，祇是兩種爻——陰與陽在變，每一變動，產生一個卦象，每個現象就不同了。變化是代表什麼？「進退之象也」。「進退」，或者是陽多了一個，陽長陰退了，或者是陰多了一個，陰長陽退了，就在這個進退之間，產生變化，爲什麼不用「多少」而用「進退」呢？我們研究古書就要注意這一類地方，這是思想問題，假使用「多少」意義就不同了，沒有「進退」深刻，「進退」是大原則，是動態，尤其是站在人文文化的立場看，都是一進一退之間的現象，所以變化是進退的現象，非進則退。在哲學課程中，常常談到一個問題，就是一般人常說「時代在進步」或「歷史在進步」，但純粹以哲學的立場來討論，就不敢這樣說了，究竟這個時代是不是在進步？不知道。以東方文化，以人文文化來講，以古今的書籍大家的著作思想作比較，就覺得人文在墮落、在腐化，所以我們中國人動輒稱道上古如何，因為越到後來，人越墮落、越腐化，歷史幷沒有進步而是在退化。但單以物質文明來說，時代真的又在進步，所以說時代歷史到底是在進步或退步，這是很難講、很難推定的問題，所以進退之間，要看在那一個範圍，用那一個標準，站在那一個角度上說話。學了易經，就要知道卦的錯綜複雜，站在那一卦那一爻說話，這是一個觀念。

生死、晝夜、剛柔

第二個觀念：「剛柔者，晝夜之象也。」以前曾說到易經的動靜剛柔，動靜是易經在物理世界的法則，而剛柔則是物質世界的法則，不過這裏的剛柔，是代表白天和夜裏的。講到這裏，可以知道中國思想之偉大，孔子在後面繫傳中亦說：「明乎晝夜之道則知。」這是中國文化特殊的地方。我們知道世界的宗教，基督教也好，天主教也好，佛教也好，回教也好，都是追求人生——宇宙間生與死的問題，而在我們中國的儒家、道家素來不把這個問題當作問題，這都是根據易經來的，易經認為生死不是問題，我們如果在這句話上加兩個字：「明乎晝夜之道則知生死。」就是說明，人活着的時候，像白天一樣像太陽出來了的時候、天亮了的時候；人死了，就是休息了，像太陽下山一樣，天黑了。不過有一點，他們却承認生命的延續，等於印度佛教的輪迴之說，人活了一輩子，終於死了，但并不是生命的結束，祇是休息一個階段，等於天黑了，明天又要天亮的一樣，一個白天，一個夜晚而已，因此我們中國人講生死問題，禹王的思想：「生者寄也，死者歸也。」後來形成道家的思想，人活着是個人，是在這裏作客人，活了一百年，亦祇是在這皮包骨的血肉之軀中寄放了一百年，等到死了就回去了，可是西方的宗教把生死問題看得很嚴重，純粹的中國文化，根據易經認爲不是一個問題，根本不去考慮它。了解了生死晝夜，祇是在剛柔之間而已。

天地之變盡於六

「六爻之動，三極之道也。」

六爻卦就是重卦爲什麼是六爻？前面曾經說過，我們的老祖宗，不知道那來這麼高的智慧，幾千年前就知道了宇宙間的任何變動，沒有超過六個階段的，這是以現代的科學文明作的解釋；就卦的六爻來解釋，便要特別注意這個「動」字，宇宙間的事物，隨時在動，儘管在睡覺的時候、打坐的時候，也照樣在動在變，因爲血液還在流動，下意識還是在活動，有動就必然有變，「六爻之動，三極之道也。」三極爲天、地、人。三極亦有陰陽，天有陰陽，地有陰陽，人亦有陰陽，爲什麼要用六爻，孔子的解釋是三極之道也。這個「道」不是修道之道，是「法則」的意思，所以八卦要有六爻，是天、地、人三極陰陽變化的法則。下面我們就可以看出來這個觀念，易中的卦象，大原則是從象數來的，是科學的。可是一到周文王，尤其到了孔子寫的心得報告中，纔把易經的道理，拉到人文哲學上來，後來就成爲儒家思想的根源，而形成中國文化的正統，在這裏前面所說的是科學，尤其天文方面的大原則，後面又講到人文思想上去了。

居之安

「是故君子所居而安者，易之序也；所樂而玩者，爻之辭也。」

這就說到人生哲學了，我們學易經爲了解自己，了解人生，所以一個君子所處的日常生活，君子的人生，能夠得到安心的，亦即佛教禪宗常說到的安心，人心得安是很難的，世界上幾乎沒有一個人安心過，誰心安了？誰滿足了？這是不可能的，眞安心，不必要求什麼，已經滿足了，可見這是很難的。安心不易，安身亦難，安生活更難，實際上這些都是心的作用。孔子說：如果眞懂了易經，平常所居而安得了心，祇要看易經變化的次序就夠了，爲什麼？因爲它有一定的次序，可以看到卦的變，而且依照易經的法則，宇宙萬事萬物隨時在變，但不是亂變，也沒有辦法亂變，是循一定的次序在變，所以懂了易經，人生一切的變故來了，都可以眞的安貧樂道度光陰。人生萬物有一個不變的東西，就是這個「必變的道理」，有如氣象局的報時台，現在報的是下午三時二十五分，下一句就是二十五分十秒，這是一定要變的。人類自己反省，有一件最愚蠢的事，希望自己一輩子不變，最好長生不老，永遠年輕，可是這決不可能，懂了易經，就知道變有一個秩序，有一個一定的原則，因此我們做事業也好，做別的亦好，第一知道自己怎麼改，第二知道變到什麼程度了，所以用不着去卜卦，把易經變化的程序搞通了，大法則就通了。但是變的當中，一變就有動，一動就有變，那麼在動與變的結果，有好有壞，有吉有凶，關於吉凶，我們已經知道，是根據人爲的觀念而來，人爲的利害得失而來，但得失的究竟如何？「所樂而玩者，爻之辭也。」把文王所著的這本周易，每個卦下面所講的道理——卦辭，懂了以後，透徹了他的道理，就快樂了。

動的哲學

「是故君子居則觀其象而玩其辭，動則觀其變而玩其占。」

懂了易經後，觀其象，不是觀象來研究易經，這個象，是我們的生活，我們的生命，我們自己個人、身體、家庭、國家、世界天下的關係，這一大現象就是一本易經，隨着八卦的法則在變，平常處在這大環境中，觀其象，對這大現象變動的前因後果，都知道了，再看文王周易中所研究的內容，但并不是說文王怎麼說，我們就相信，而是要「玩其辭」通過他的思想，創出自己的思想，於是姓王的可著一本「王易」，姓李的也可著一本「李易」。

人生一定要動的，「動則觀其變而玩其占」，我們自己有時候動了，要觀察動所產生變化的現象，而玩其占，事實上占、卜、筮是三件事。古代用骨頭卜卦，把骨頭用火燒後，看上面所燒裂的紋路定吉凶，這是卜，卜的方法很多；占是用數理來推定結果；筮是周易以後的卜卦方法，用一定數字的筮草來卜卦，以現代來說：廟裏的抽籤，看籤詩近於筮，這些都屬於神祕學的範圍、精神學的範圍、心靈學的範圍，有他的道理，如歷史上的風角之術，演變爲梅花易數，也屬於占卜之類。梅花易數，假託是邵康節發明的，據說，對求占卜者的姓名和出生年月日時，都可以算得出來，這些都是相當神祕的占卜之學。

自助、人助、天助

「是以自天祐之，吉无不利。」

這是中國文化與西方文化不同的地方，中國文化中根本沒有迷信，（這不是指宗教而言）所以中國人祇說人助天助，凡事要靠自己。自天祐之這兩句話是說，懂了易經這些道理，上天就會保祐你。上天怎麼個保祐法？就需要你自己照易經的道理去想去做而不違逆，你的修養要到達這個境界，就可以天人合一了。再嚴格說，這個「天」並不是另外一種力量，祇是自己的心，懂了易經的道理，以此道理做事處人，動靜都看準了，一定是萬事順綏大吉大利，有好無壞，這就要看自己的學問修養如何了，易經是經典中的經典，智慧中的智慧，舉凡科學的、哲學的、宗教的……一切都涵蓋了。

以上是第二章，下面繼續第三章。

「彖者、言乎象者也，爻者、言乎變者也。」

讀這本周易，有三項要注意。外國人，尤其日本人研究易經，專門拿動物來搞，龍呀！馬呀！象呀！在這些上繞圈子，象亦是一種獸，據說能夠吃鐵，把鐵咬斷。易經每卦下面有一個「彖曰」，就是「斷語」的意思，這裏是說彖辭是用來解說現象的，換句話說，彖辭是根據某一現象下的定論；至於爻辭，每爻下面有一個解釋，爲「爻辭」，整個卦下面的解釋爲「卦辭」，爻辭是講變化的道理，卦辭是講卦德與卦情。

善補過

「吉凶者，言乎其失得也；悔吝者，言乎其小疵也；无咎者，善補過也。」

在將來研究易經的內容時，看到卦的後面有的是吉，有的是凶，有的是悔吝，有的是无咎，這是爻辭常用的話，吉凶悔吝，已經談過了。无咎，翻成白話就是「沒有毛病」，但並不等於「好」，而是在進退之間要注意。換言之，「无咎」是沒有大錯誤，還好，從這裏可以看到易經的哲學，一個人到了平安無事的時候，這情形又怎樣？孔子說「善補過也」，要特別小心，人不會沒有錯，隨時有錯，善於反省自己的錯誤，加以改正，就是眞正的到了无咎的時候，因此我們做事業要儘量的謙虛，倘自認絕對沒有毛病，這是靠不住的，天下事沒有這麼好的。「善補過也」還是好好的，懂得小心謹慎反省與改正錯誤，這是最高的哲學。

易經人生哲學的五大原則

以上的道理都懂了，我們再進行下面的部份：

「是故列貴賤者存乎位，齊小大者存乎卦，辨吉凶者存乎辭，憂悔吝者存乎介，震无咎者存乎悔。」

這五點是卜卦時用的，也包括了人生哲學的大原則，「列貴賤者存乎位」高貴與下賤，用現代語來說，卽有無價值？在乎「位」的問題，「位」以現代語解釋就是空間。人生亦如此，到了某一個位置就「貴」，沒有到某一位置就「賤」。所以卜卦時那一卦是好？那一卦是壞？是沒有一定的。甲卦，就某一事，某一空間地區，某一時間而言，是了不起的好卦，如果換了一個地區，情形就大不相同了。我們到廟裏去看神像，就有很大的感想，亦可以懂得這個道理。一堆泥巴，或一塊石頭，一根木頭，雕成菩薩像，成了「象」，然後在大廟裏一擺，人人都去跪拜，他爲什麼那麼貴？「存乎位」，在那個位置就貴了，很多事情都是如此，人亦是如此。所以研究易經、卜卦，當知卦的本身沒有好壞，好壞祇是兩個因素，時間對，位置對就好，等於算命一樣，有的人八字好，貴命，可是一輩子沒有遇到好運，不遇時，貴不起來，好像一件東西，的確是好東西，有價值，可是放在那裏幾十年都賣不出去，又有什麼辦法？有的人學問很好，可是一輩子不出名。反過來說，如大家稱頌的胡適之先生，不知道他的學問到底好在那裏？說他哲學史好嗎？寫了半部還不到，寫不下去，碰到佛學的問題，祇好擱筆。其它研究紅樓夢、聊齋誌異，「紅學」、「妖學」，有什麼用？可是將來中國文化史上胡適之先生一定有名，看歷史尤其如此，歷代以來，有多少和諸葛亮一樣有學問的人！如果沒有像三國演義這樣的小說，能夠出名嗎？孫悟空根本就沒這樣一個人，可是被小說一寫，就如此走運。天下的事，對於名與利，把這個哲理一看通，就覺得沒有什麼，就淡泊了，非其時也就能居而安之，心安理得。中國人的古語「福至心靈」很有道理，一個人到了某一位置——福氣來了，頭腦眞是靈光，特別聰明。「齊小大者存乎卦」，齊就是平等。乾、坤、坎、離四個卦是大卦，其餘六十卦都是大卦變出來的，那是小卦。卦就是現象，亦就是大的現象、小的現象，現象有大小，一個人的成功失敗也有大小，有如發財，甲發得多，乙發得少，這有大小，但立腳點是平等的，不管大卦小卦都是卦，都是一個現象。莊子的書中有齊物論，何以名齊物？萬物不能齊，沒有平的，人的智慧、學問、體能都是不平等的，卽使有兩人體能一樣，其中一人生病了，另一人爲了平等亦生病嗎？物是不能齊的，但是莊子提出來有一項是齊的——本體的平等。如太空是平等的，太空中萬物的現象是不平等的，所以莊子有一句話很妙，他說「吹萬不同」。孔子研究易經講究「玩」，莊子講究「吹」，吹萬卽萬有，他以風來比方，他說大風吹起來，碰到各種的阻力發出各種不同的聲音，意思是說，風吹來是平等的吹，而萬象遇到風以後，自己發出的聲音不同。「辨吉凶者存乎辭」，什麼是吉凶悔吝？「存乎辭」，看文字的記載。換句話說，這文字代表人的思想，吉凶悔吝在於各人的觀念，各人的看法。「憂悔吝者存乎介」這是說卜到悔吝卦的時候，憂慮到悔吝，就要獨立而不移，下定決心，絕對要站得穩，端端正正，人到了倒楣的時候，自己能站得正，行得正，一切現象都可以改變。「震无咎者存乎悔」，无咎就是善補過也，人生沒有絕對自己不錯的，祇要知道懺悔，懺悔的結果就是要補過。

「是故卦有小大，辭有險易，辭也者，各指其所之。」

這裏這個「之」字要注意，將來研究易經有關的書籍時，常常會看到「卦之」這個名辭，「之」就是「到」，卦到了那裏就是「卦之」，譬如乾卦，如果初九爻變了以後，成了姤卦，這就是乾卦的「卦之」，會有人看不懂「卦之」而改成「之卦」，如乾卦的「卦之」，改成乾的「之卦」，這就不對了。

萬事通

前面繫傳已講到第三章，這裏繼續講第四章，這一章很重要。

「易與天地準，故能彌綸天地之道。」

這一個觀念就很嚴重，他說易經的文化思想這一套學問，是宇宙的大原則。至於標準，是宇宙的什麼標準？則沒有講。我們曉得在中國社會裏，最準確就是整個天文現象的變化。

在尚書中，堯、舜、禹換代的時候，都講這個東西，但是有個毛病，發展下來到漢朝，就更厲害了，叫作「讖緯之學」，或叫作「圖讖之學」，就是預言。用五運推算出來，某個時代要變了，所謂以火德王，以水德王等等，每個朝代制服都要改變，如現在的白衣是孝服，在夏朝的時候是尚白，白衣服就是禮服，殷商的時候尚黑，禮服是黑色，尚黑就是以水代表。時代到某一個時候一定要變，近代對這種推測就叫作預言。現在世界上又到處都流行預言，我們中國歷代的命運都有預言，這些就是所謂的讖緯之學——圖讖之學。圖讖在中國文化中的影響非常之大，不但古代如此，將來可能也是一樣，這些都是說到「易與天地準」這句話而引出來的。中國過去在科學上，以天文法則看天象的演變，就是天上的氣候，宇宙氣象的演變有一套法則之外，我們的文化，也還沒有找出孔子所說「易為天地準」的道理，所以我們推崇易經，也不要推得那麼高，可是照這個書上講，推得非常高，說易「故能彌綸天地之道」，彌綸兩個字，照文字講，彌就是弓拉滿了，圓滿得成為一個圓圈，可包涵一切，綸就是絲綸，絲織品橫的絲直的絲編得滿滿的，現在的觀念就是包括，等於說，易經的學問包括天地之道，宇宙裏任何法則，人事物理，一切事一切理的原則，沒有超過易經的範圍。

三大問題

「仰以觀於天文，俯以察於地理，是故知幽明之故。原始反終，故知死生之說。精氣為物，遊魂為變，是故知鬼神之情狀。」

這一節裏有：㈠知幽明之故，㈡知死生之說，㈢知鬼神之情狀等三個重大問題。

第一個問題，亦就是我們人類幾千年來所追求的文化，幽明之構成，幽是看不見的一面，是陰面；人能看得見的，是光明面，是陽面，換言之，我們人類世界一切活動看得見，但人是那裏來的，有沒有上帝、鬼、神？有沒有宇宙的主宰？這些看不見的一面沒有摸到，這是幽明的道理。後來我們中國文化發展到幽，就是代表陰間，死了到陰間去了，反正是看不見的，宇宙間很多看不見的事情還有二面，對於看不見的一面，要讀易經才知道。

第二個問題，生從那裏來？死往那裏去？究竟人的生命以及萬物的生命，原始從那裏來？死又死到那裏去了？這是人類文化到現在還沒有解決的問題。

第三個問題，有沒有鬼神？這個問題很嚴重，所以現在全世界有一些人瘋狂的研究靈魂學，這是新興的科學，祇是還沒有形成像現代自然科學那樣大的力量，但是已經有了這種趨向，將來可能會形成的。假使證明了有鬼神，那時唯物哲學談都不要談，宗教哲學亦站不住了。愛因斯坦發明了相對論以後，二十世紀末期的世界爲之改觀。假使證明了有鬼神的話，世界又要轉向一個新的文明的世紀，祇有少數的如中國的文化、印度的文化纔站得住而且再度興起，目前是這三個大問題還沒有解決，未來的發展有待我們注意。

易經文化的起源，不是盲目的想像，是科學的，「仰以觀於天文」，亦是孔子說的畫八卦，由觀察天文現象，不曉得經過多少萬億年，大家累積觀察及研究的經驗。「俯以察於地理」，看地文之理，地球的物理，如現在科學家認爲地心有人類，神祕飛碟卽來自地心。現代科學界的思想，的確承認另外有一個有生命的世界的存在，而且大家還在找尋這另一世界，這就是易經上的「地理」，不是學校課本中的地理，亦不是我們古老的看風水的那個堪輿術的地理，而是地文之學，是科學，這就是說我們中國老祖宗的易經文化思想，不是亂來的，是科學的，所以知道了看得見的一面，亦知道了看不見的一面，看不見的一面現在要檢查，根據易經的原則不需要檢查了，就知道幽明的原因，這個原則是什麼？在這裏沒有講給我們聽，孔子自己懂，這是第一個問題。

第二「原始反終，故知死生之說。」這個問題在理論上比較容易些。我們知道生死是一個大問題，論語上提到過，莊子亦說：「死生一大疑。」人類的問題，生與死是一個大問題。人爲什麼生？生了爲什麼活着？爲什麼衰老？爲什麼一定死？人類是很可憐的，人生下來，讀書求學，學問到了最高處，根據現代醫學的研究，人的腦力，思想的功能，最發達的時候在五、六十歲，眞正成熟，可是成熟了亦完了，像蘋菓一樣，落地了，這亦是易經「終」的法則，「原始反終」，世界各國對於生死問題，人類有一個共同的目的——離苦得樂。不但人類，凡是世界上的生物，都是希望脫離痛苦而得到快樂。但是人類同一切生命得到快樂沒有？沒有得到，因爲生了一定有死，這個問題沒有解決，在宗教文化裏，把生死問題當成一個宗教。研究宗教哲學，每個宗教都承認死後還有生命，不過每個宗教都在開觀光飯店拉客，耶穌開的觀光飯店叫「天堂」，請人到天堂裏來，招待週到，一切設備完全，價廉物美。佛教開了一個「西方極樂世界」，不過佛教本錢大，開的家數多，下地獄有地藏王菩薩在等着；既不上天亦不下地獄的，再生又有救苦救難觀世音菩薩；萬一向東方去，又有東方藥師如來；他四面八方都準備好了，這個生意做得特別大。但不管如何？生死還是問題，而我們的文化，論語裏記載子路曾經問起過，孔子答覆得很簡單：「不知生，焉知死。」所以人類的文化到今天不管發達到如何程度，生死問題仍沒有解決。中國人亦有個結論，所謂「生者寄也」，活在世界上，像住旅館一樣，活一百歲，不過暫住一百年，沒有什麼可怕，活到最後一天，眞正的退休了，移交都不必辦，人生就是這麼一個現象，這個現象在中國來講，就是「原始反終」，生命來了像早晨一樣都起來了，死了像到晚上，都休息了，如同他的開始；回去了又是回到那個地方，死沒有什麼可怕，「故知死生之說」，死生的道理就是這樣。以易來說，我們生下來就同乾卦一樣，一爻代表十年，六十年作一階段，六爻全變，成爲坤卦，坤再變又是陽爻開始，陽極陰生，陰極又陽生，那麼死了又有什麼可怕？在學理來講，對於生死問題，我們中國的文化最偉大了，不必要宗教的那一套。

這是講生死的現象，下面第三個問題來了，有沒有鬼神、靈魂的存在？這不是物質的，不是唯心亦不是唯物，外國人現在對靈魂的研究有一個名稱叫「超電磁波」，超越了現代物理科學的範圍，原子、電子、核子都不能了解它的，這就叫靈魂。在我們是認爲有的，但它是「精氣爲物」，心物一元的，什麼是精？什麼是氣？如何構成物質方面的東西？「遊魂爲變」，物質以外，我們的身體是物，宇宙中這個物理世界都是物，可是唯物學家，共產哲學思想，認爲世界一切唯物，還有另一半，他祇認出了一面，沒有搞清楚，他們把精神，亦向唯物方面拉。西方哲學中有認爲一切都是唯心的，亦祇認了一半。「一切唯心造」拿不出證據，科學講證據，可是「精氣爲物」講物質的道理，「遊魂爲變」講精神的道理，這幾句話又產生了一個大問題，這裏承認有鬼神，這個鬼神是心物一元的功能殘餘力量所形成，所以曉得鬼與神，鬼是鬼，神是神，以道德爲標準分爲兩種。何以知道鬼神的現象？孔子提出證明，鬼與神都有，可是我們的這位老老師，他祇告訴我們原則，易經有那麼大的學問，包羅萬象，至於怎麼樣有鬼神，他沒有講，他大概來不及寫稿子了，還是要我們自己去摸吧。

這裏說的精與氣是什麼？道家就偏重這方面，所以我常說，祇有中國的道家有這個本事。研究世界文化，都祇教大家死了不要怕，到一個觀光旅館——天堂、極樂世界去住。祇有中國人想出這個辦法，可以活幾千年，就是神仙，就是這個生命可以活着修到長生不死，不管有沒有人曾經做到，但查查世界文化，沒有一個國家的文化，敢於狂妄的叫出這個口號來，祇有我們中華民族敢於這樣叫，人可以修到長生不死，而不是盲目的叫，所根據的道理，是我們這個生命，肉體的存在，靠有：「精、氣、神」三樣東西，即所謂的長生不死之藥不是一般的藥物，道家所謂：「上藥三品，神與氣精。」是黃庭經中的話，欲想卻病延年，無病無痛，達到長生不老，便需要服藥，這藥不靠外來，是自己身上本有的——精、氣、神。什麼是神？譬如我們說「某人眼神很好」，眼神是一個抽象名辭，是描述不出來的，現代醫學不承認它，所謂「元神」他們說是鬼話，祇說體力很好，說是「力」，但科學家的說法亦有問題，

「力」又是什麼呢？是電子或原子？但是大家一聽科學名辭，就被唬住了，其實科學名辭最後還是站不住腳，答不出來。精亦是答不出來的，普通以女性的卵子，男性的精蟲當作精，這裏所說的精，是又抽象又具體的，以現代的話來說，勉強的比方，精等於能，生命的能，譬如人在跌倒時，就原來跌倒的姿勢，在地上稍停一下，一點都不要動，靜一下以後，慢慢起來，便不會受傷，因爲稍稍靜一下，生命的本能就恢復了，便不會受傷，否則本能沒有恢復，用力掙扎起來便會受傷。還有，跌倒時用兩手撑地，亦容易受傷，因爲跌下去的力量那麼重，欲想把它撑回來，正反兩種力量一相撞擊，這時就會受傷，如聽其自然躺下去，反不易受傷，這就是身體生命本能的作用。至於「氣」，比方是電，過去氣字寫作炁，道家稱之爲无火是氣，火代表陽，无火之炁，精與氣是一陰一陽，具體爲陰，無體爲陽，陰陽結合成物，那麼我們這個身體以外的生命能，祇好借別家的學問來解釋，就是佛家對人的身體叫作正報。這個物質世界，如山河大地，乃至房屋桌椅等等物質，名爲依報，附屬的意思。這方面學問，佛家精到得很，依報又分爲動、植、礦等等，以現代科學名辭說即聲、光、電、化等等，是有生而無命的，如佛家的吃素是無葷，連大蒜、葱等等刺激性的，產生荷爾蒙使性慾容易衝動的都是葷，都不吃，不吃肉是不殺生，佛學告訴我們，現代科學亦證明，一切植物乃至泥土，是有生而無命。命是有靈性、有感情、有思想、有感覺是命，生命是生與命兩個東西的結合，精氣爲物是生不是命，這個離開了身體，就是死亡，而離了身體以後，就是遊魂，是神。人活着這東西叫作神，叫作靈魂，人死了這東西叫作遊魂，變成鬼，所以有鬼有神。「精氣為物」鬼是物質的轉化，物理的轉變產生了東西，那個功能是鬼，如果靈魂的成分多，物質的成分少，則是神。體能健壯的人腦子思想一定比較差，而愛思想智慧高的人，身體一定多病，心物兩方面不能平衡，所以知道鬼神的形狀，孔子所講的還是大原則，他所講的易經包涵有那麼多東西，所以我們摸了半天易經，不要說通神，連鬼都通不了。

上面講了易經的學問，歸納出來，大概的三個重點，實際上如作詳細的分類還不止這三個重點，總結一句話，就是「彌綸天地之道」，包括了宇宙間一切事務的大原理。

樂天知命

「與天地相似，故不違。」

下來這一個小段說易經這個法則與天地相似，天地就是宇宙、太陽、月亮的運行，有一個固定的法則，不能變，春、夏、秋、冬、白晝、夜晚、南極、北極，一切變化的法則，都是固定的。而易經學問的原則亦相似，眞理的準確同宇宙的法則一樣的固定，所以人類提出來的任何學問，都不能違反易經所提出來的法則，超不出易經的範圍，不管人類任何學問，人類如何偉大，比如人類今日到達了月球，亦祇到達了月球，幷沒有超出宇宙，月球、太陽，都在宇宙的範圍之內，而易經的學問，就有宇宙這樣偉大，所以沒有辦法違背。

「知周乎萬物而道濟天下，故不過。」

這裏說了，爲什麼我們要懂得易經這門學問？因爲懂了以後，才能「知周萬物」，知即智——智慧充滿了，對萬事萬物的大原理無有不懂，然後「道濟天下」，做人也好，做事也好，做官也好，隨便做那一行職業，都可以達到救世救人的目的，因此不會有錯誤了。在論語上看到孔子的感嘆，他在四十九、五十歲的時候，才開始讀易經，而說「假我數年，五十以學易，可以無大過矣！」假如上天給我活長久一點去學易經，就不會有大錯誤了，故以他的立場來說，人生的修養必須要學易經，才能智慧周乎萬物，不致發生錯誤，亦和無違的道理一樣，如果欲濟世救人，就要很大的學問，大學問的原則，就在易經，懂了易經才能濟世救人，因爲任何學問，沒有超過易經的。

「旁行而不流，樂天知命，故不憂。」

旁行是什麼，研究易數時說過，就是旁通，亦是錯綜複雜的「錯卦」，如乾卦的三爻動了，就會成天澤履卦，等於大家坐在這裏，祇要其中任何一個人動了，都會影響每一個人互相之間的關係，這就是旁通，亦是旁行。宇宙萬事萬物，不能永恒不變的，有縱的關係，還有橫的關係，但旁行不流，流是散的意思，他是有規律的，不會散開，能旁行不流，對人生的生命非常清楚。樂天知命，知道自己，亦知道天命，永遠是樂觀的人生。我曾告訴佛教界的人，一切宗教都是悲觀的，尤其佛家的大慈大悲是講悲的，祇有中國儒家講樂，像論語上幾乎沒有悲字，都是樂。有一本明朝的筆記，曾經統計過論語上都是樂字，而不談悲，這亦是中國文化不同的地方，談生命祇談生的這一頭，不談死的那一頭，人多半是悲觀的，本來生命是很可憐的，以另一個角度看是很令人悲觀，但以易經的角度看生命，是樂天知命，很樂觀的，沒有憂愁，所以人欲達到眞正的樂觀，祇有從觀念中懂了易經的法則。

安土敦仁

「安土敦乎仁，故能愛。」

先解釋「安土」，一般而言，中國自大禹治水以後，步入農業社會，所以過去在歷史上經常看到「安土重遷」四個字，對於家鄉都很喜歡，重視遷移，不肯搬動播遷，這是中國文化安土重遷的思想，假如有一個兒孫，要遷住到另外一個地方，則是一件很嚴重的事情，今日社會的觀念，恰恰相反，以不安土，以流動爲好，這就是交通、經濟發達的現象，如以現代的觀念看安土，則是舊文化，沒有進步，另一個觀念看安土，以五行來解釋，土者中央也，土是中心，人要有中心思想，這在文字來解釋是很通，但太曲了。又有一說，地球有一個中心地點，有中心的立場，然後人生的修養走仁道，以仁修養，才能愛人、愛物，如果沒有中心，而說能愛人、愛物，這是做不到的。

「範圍天地之化而不過，曲成萬物而不遺，通乎晝夜之道而知，故神无方而易无體。」

「範圍天地之化而不過」，這是一個觀念；「曲成萬物而不遺」，這又是一個觀念；「通乎晝夜之道而知」，又是一個觀念；「故神无方而易无體」，這是一個大結論了，很重要的，研究易學要知道這是正統的孔子思想，亦是易經正統的道理。

化生

「範圍天地之化而不過」，範圍的意義和彌綸差不多，中國文化非常重視文字藝術，一個呆板的觀念，在文字上藝術化，用同義字，以不同的文字藝術來表達，這裏範圍比彌綸在形態上小一點，彌綸的含意深遠得多，這句話是說易經的學問包括了天地宇宙的「化」，中國文化認為天地宇宙一切萬有，都是「化」成的，生命是由變化而來，所以中國道家的名辭「造化」，後來變成運氣不好為造化不好，實際上「造化」的「造」，如宗教家說的主宰，「化」，宇宙間的生命，沒有不變化的，所以我們中國人把生死看得很平淡，人死了叫作「物化」，生死并沒有什麼了不起，祇是物理自己的變化，有生自然有衰老，有衰老自然有死亡，死亡以後再來，物化而已。易經的道理，循環往復，在佛教為輪迴，在文學上的描述為「羽化而登仙」，等於化成飛鳥，如我們古籍中的沙鹿，道家古書上說是海邊的鯊魚化的，現代的自然科學對這事不承認，我相信現代科學，亦喜愛我國古代的文化，像道家譚誚著的化書，就是這樣說的，比如香菇，他說是化生的，樹爛了種子下去，另外出一個生命，是化生，細菌培養的是化生，萬物都是細菌化生，但把化生這個名辭翻過來說成生化，大家相信了，認為是科學，這個「化」字包括了很多意義，包括了現代化學、物理的各種科學，所以孔子說易經包涵了天地宇宙萬物的變化，都逃不過易經的原則，什麼學問都包進去了。

曲則全

「曲成萬物而不遺」，注意這個「曲」字，是非常妙的，老子有一句話「曲則全」，有人說讀了老子，會變成謀略家、陰謀家，很厲害。因爲老子告訴我們不要走直路，走彎路才能全，處理事情轉個彎就成功了，如小孩玩火，直接責罵干涉，小孩跑了，但用方法轉一個彎，拿一個玩具給他，便不玩火了，這是曲則全。老子這個曲字的原則，卽是從易經這裏來的，孔子亦發現這個道理，因爲研究易經就知道宇宙的法則沒有直線的，現代科學亦證明，到了太空的軌道亦是打圓圈的，所以萬物的成長，都是走曲線的，人懂了這個道理，就知道人生太直了沒有辦法，要轉個彎才成。現在講美亦講求曲線，萬事萬物，都沒有離開這個原則。

怎麼睡著的 怎麼醒來的

「通乎晝夜之道而知」，晝夜就是陰陽，明白了白天黑夜的道理，這就知道易經的大學問，眞研究起來，晝夜的道理就難懂了，我常問學禪打坐的人，活了五六十歲，知不知道自己是怎麼睡著的？又是怎麼醒來的？的確不會知道，如果答覆得出來，這個人就懂了道，又如禪宗講的「本來面目」，從來沒有人自己看到，鏡中照出來的，亦是反面的，不是本來的，儘管學問多麼好，如何看見自己面孔這個問題解決不了。爲何失眠？中國的醫理說由於心腎不交，心臟血液的循環不正常，腎——腎氣，人體腰下包括腎臟及荷爾蒙系統，不相通就失眠，相交就睡著了。現代醫學又說氧氣不夠就打哈欠，足了就醒來，但都不能解釋這個問題，如何睡著或醒來還是不知道，所以晝夜的問題還是一個大問題。再看生物世界，夜間活動的生物很多，活動得亦更厲害，尤其到了山野間就會知道這一現象，有許許多多的禽、獸、昆蟲，從未見過的生物，在夜間開始活動了，他們的生命，不要白光，喜歡黑光，從這一點看，可見晝夜問題非常大，要把這些道理都懂了，才會知道陰陽的功能，才是學易經入門了，所以要好學，才能淵博，要深思，不深思便成書呆子。

神无方，易无體

「故神无方而易无體」，這個神不是宗教的神，是中國文化的神。我們的原始文化中，生命的主宰，宇宙的主宰沒有宗教性的觀念，對天人合一的那個東西叫作神，西方哲學稱作宇宙萬物的「本體」，亦是功能。神无方的方，古文亦稱「方所」，就是方位，无方就是沒有位置，无所在，亦無所不在，「神无方」就是宇宙生命主宰的功能無所在，亦無所不在，同易經變化法則一樣，周流六虛，并不在某一點上，研究易經最重要的是在此，基本上如乾卦「一爻初動」，這動從那裏來？答案是「神无方」、「而易无體」，所謂本體，是個抽象名辭，是无體之體，无爲之爲；所謂「道」，亦是一個抽象的代名辭，沒有固定的，不拘的，不固定不拘，就是宇宙的法則，試看宇宙的東西，變化無窮，氣象的預測常常不準，因爲「神无方而易无體」，氣象突變的地方拿不準，那麼我們研究易經的學問，如果說易經一定是講某一範圍的，那就犯了邏輯的錯誤，因爲這裏明白告訴了我們「神无方而易无體」，易經的學問變化無窮，說它是藝術的亦可以，是科學亦可以，是哲學亦可以，因爲「易无體」，不呆板，任何一個名稱都可以，但是「神无方而易无體」這兩句話，亦是中國宗教哲學的頂點。我們如果研究西方文化，希臘的哲學思想，西方的宗教哲學思想，把西方的東西都研究完了，回過頭來再看自己，就發現自己老祖宗的文化最偉大，這兩句話從人類文化史的發展來看，我們提出來最早。繫辭我們暫時談到這裏，接下來，我們看易經的第一卦——乾卦。

元、亨、利、貞的乾元

䷀是三畫卦乾的重卦，分內外兩卦，也就是上下兩卦，上卦爲外卦，下卦爲內卦，乾卦的重卦，是乾下乾上，就是說下卦是乾卦，上卦亦是乾卦，這一卦究竟代表了什麼？我們且不作答案，先看這本周易。周易一書，據說是周文王對六十四卦的註解，就是周文王被關在羑里的時候，用他的智慧、沈思，所作的易經註解，這一部著作，後世稱作周易，等於說這是他研究易經的心得報告，我們不妨以一種平淡的觀念來看，不必太神聖了，如以神聖的態度來看，問題就多了，我們以平淡的態度看，文王對乾卦研究的心得是：「乾，元、亨、利、貞。」四個字，在易經的學問上，這四個字叫作「卦辭」，意思是乾卦這一卦的圖案，他用這四個字來說明。這四個字，我們不能照現在的讀法，一句就把他讀完，而是每一個字，都有它獨立的意義。「乾，元、亨、利、貞。」就是說乾卦是元的、亨的、利的、貞的，四個現象。元可以說是宇宙的本能，亦可以說是萬物的開始，如啓元，一個東西的來元等等很多。講到哲學方面則乾是宇宙的本體，天地萬有都可以說是乾、是元，宇宙間萬象萬有都是它的功能創造的，所以叫作元。這是中國文化的特點，既不講上帝，亦不說菩薩，不是唯物，亦不是唯心，祇是宇宙的本能，我們用一個乾卦的代號來表示，是科學的，不是宗教的，亦不是純粹的思想哲學。第二個觀念，是這個乾卦代表「亨」，亨就是通，是亨通的，無往不利，到處通達的，沒有阻碍的。第三個意義是利，無往而不利，所謂利，不是現在賺錢爲利的利，是沒有相反，沒有妨碍，沒有害的。「貞」古代的解釋是「貞者正也」，「貞」就是正，也是完整的沒有受破壞的意思。

上面是文王對乾卦作的卦辭。

潛龍勿用

「初九，潛龍勿用。」

這是爻辭，是把整個的卦作分析，一部分一部分來加以解釋的。我們的老祖宗畫八卦，下面原來沒有文字註解，因爲在當時沒有文字，而文字的創造，一開始就是卦，世界任何國家民族的文字，最初的來源都是圖案，卦下面的文字，是後世加上去的，周易的文字，是文王開始加的，卦辭、爻辭都是他對卦的解釋。

「初九」的意思，前面說過，陽卦以九作代表，因爲陽數以九數到了最高位，所以看到九這個數字，就知道代表陽，初九就是指乾卦的第一爻而言。上面的卦辭，祇是元、亨、利、貞四個字，很簡單，亦很抽象。這裏爻辭「初九潛龍勿用」，又突然跑出一個「龍」來了，這龍是怎麼來的？我們先要了解，中國文化是龍的文化，自黃帝時候開始，政治制度上分官，以龍爲官名，如龍師、龍帝，都以龍爲代表，龍是中國文化最偉大的標記，是我們幾千年來的旗幟，中國文化對那些偉大的、吉祥的、令人崇拜的萬象，每以龍爲標記，西方人尤其英國人，近幾百年以來，很多資料顯示對我們中國人很多防範，很多不利，他們在心理上一直懼怕中國，有一派基督教，看見龍，聽見龍都會害怕的，他們說聖經上說龍是魔鬼，其次他們把恐龍這些古代巨大生物，當作了中國易經上的龍，這些觀念都是錯誤的。我們中國人自己要認識清楚，我們龍的文化，第一，不是基督教聖經上所講的那個龍，不是魔鬼，我們的龍是天人敬信，在宗教觀念上代表了上帝；第二，我們中國的龍，老實說沒有人看見過，不必說他們把地下挖起來的骨頭當作龍骨是錯誤的，中國的龍，不祇是三棲的，甚至不止是四棲，水裏能游，陸地能走，空中能飛，龍的變化大時可充塞宇宙，小時如髮絲一樣看不見，有時變成人，有時變成仙，龍到底是什麼？無法有固定的具體形象，實際上中國文化的龍，就是八個字：「變化無常，隱現不測」，如學會了中國文化，人人都可作諸葛亮。試看外國人的恐龍，全部都可看到，中國的畫家畫龍，如果全部畫出來，不管是什麼名家畫的，都一文不値。「神龍見首不見尾」，龍從來沒有給人見過全身的，這就是「變化無常，隱現不測」的意思。我們懂了龍的精神，才知道自己文化的精神在那裏，亦是大政治家的大原則，亦是哲學的大原則，亦是文化的大原則。另一方面，我們懂了「變化無常，隱現不測」八個字，亦就懂了易經的整個原理，易經告訴我們，天下的萬事萬物，隨時隨地在變，沒有不變的東西，沒有不變的人，沒有不變的事，因爲我們對自己都沒有把握，下一秒鐘我們自己的思想中是什麼？亦沒有把握知道。

其次，易經爲什麼在這裏提到龍？我們認識了龍的精神，就能明白了。易經說到乾卦中的龍，就代表了宇宙生命原始最偉大的功能，乾卦亦代表太陽，太陽一天一夜的隱現，分爲六個階段，第一個是夜裏的太陽，躺在下面——地球的另一面，過去說在海底，在地心的那一面，我們看不見的爲「潛龍」，假使卜卦得到了乾卦初爻，那麼「潛龍勿用」，最好不要動，如想找事，履歷表都不必送出去了，但要注意這個「勿」字，究竟是「不能用」、「不可用」、「不應用」或「沒有用」呢？就更難翻成白話了，不過「勿」字，卻也包括了這些意思，但并不是說用的價値不存在，祇是此時不要去用它，潛龍就是龍還是潛伏着的，有無比的功能，無比的價値，還沒有用，諸葛亮尙在南陽高臥的時候，自稱臥龍先生，這就表示他抱負不凡，自己認爲是潛龍，這亦是人生的修養，亦是論語上孔子說的「不試故藝」。

見龍在田

「九二，見龍在田，利見大人。」

九二爻，是乾卦內卦的中爻，中爻是最好的、最重要的。九二爻見龍在田，利見大人，如僅照文字翻白話是無法表達原意的。見龍在田，見是現的意思，龍現在田裏，等於虎落平陽被犬欺了，還如何利見大人？這要了解「田」的意思，中國文字與西方文字不同，不但是單音字，而且一字往往含有幾種不同的意義，中國古代的田字寫作⊕是圖案畫，上面通了爲由，下面通了爲甲，上下通了爲申，申字旁邊加示，上天垂示就是神，神是上下通的，所以鬼字亦從田，上面走不了，向下面走就是鬼，後來再加兩根頭髮，就成鬼的樣子。電、雷都從田，天上下水，地下發雷，雷向下走爲電，這是中國字結構的由來，每字都有道理，不比ABCD硬湊攏起來的。從上面的解說，我們便知道這裏的田字是代表地面，就是大地，不要以現代的觀念，認爲田祇是種稻子的田，那就錯了。見龍在田的卦象，是早晨太陽剛剛從地面升上來，光明透出來了，在這個時候「利見大人」，如卜到這個卦，卜卦的說，如去見董事長或什麼長官長輩謀事之類，一定成功，大人并不是很大的人物，在古代大人小人是相對的名稱，一如貴人這個名稱，并不一定是很大的貴官，假使有人跌了一跤，剛好有一位清道伕看見，將他扶起送到醫院，這位清道伕就是跌跤者的貴人，貴人的貴與不貴，是在時間空間上剛剛需要幫助的時候，予以幫助的就是貴人。

終日乾乾

「九三，君子終日乾乾，夕惕若，厲无咎。」

第三爻是內卦的上爻，如果祇用三畫卦，已經到了頂點，如果學會了易經，不必卜卦，六十四卦，沒有卦是完全好或完全壞的，每個卦都好中有壞，壞中有好，祇有「謙」卦這一個卦是全好的，謙退，謙讓，有利益大家拿，自己都不要，這當然好，六爻皆吉，這是宇宙的道理，人生的道理。現在乾卦第三爻，問題來了，以人生歷程來說，年輕人還在大學裏讀書，還沒有拿到博士學位的階段，就是初九爻潛龍勿用，價値無比。等拿到了文凭，踏入社會中，就是九二爻，見龍在田，利見大人，拿文凭找到了工作，然後有工作，有地位了，有聲望了，就是第三爻，以人生的年齡而言，十幾歲到二十歲是初爻，二十歲到三十歲是二爻，三十歲以上到了中年是三爻，這時應該君子終日乾乾，夕惕若，厲无咎的時候。我們先作一些文字的解釋，乾卦我們已經解釋了，是綱常，是宇宙的開始，就像人生的本分一樣。君子終日乾乾，就是說人一天到晚，都要保持本分，保持常態，永遠這樣，不但如此，到了晚上，還要警惕自己，不可放鬆，就像白天一樣的小心，就是說到了中年做事得意的時候，做人做事隨時隨地都要小心，乃至到了晚年都不能放鬆，大學、中庸的思想，都是從這裏來的，這就是所謂的「惕若」。「厲」是精神的貫注與專精，磨磨自己，就沒有毛病。像這樣的卦好不好，假使到街上卜卦，算命先生會說很好，不過要小心，因爲命運還有重重危機，一不小心隨時隨地會有問題，對自己要有那麼嚴格的要求，才不會出毛病，一切在於自己，不在於別人，亦不在於環境，人在得意時，就怕忘形，這時就用得着這個卦爻。

或躍在淵

「九四，或躍在淵，无咎。」

到了第四爻，很妙。從整個卦看起來，內外兩卦分得很清楚，成爲兩節，這表示一條龍或一尾魚在深水裏跳出來，無咎，沒有毛病，要出頭了。但要注意「或躍在淵」的「或」字，這一爻眞好，操諸在我，譬如一個人，事業到了頂點，如再進一步，或者跳一步，或者不跳，都是好的。九四是外卦的初爻卦，與內卦的初爻相應，都有無比的價値。

飛龍在天

「九五，飛龍在天，利見大人。」

一般人稱皇帝爲「九五之尊」，以爲就是易經上的這個「九五」，這話要注意，代表皇帝的九五之尊，是依據數中的陽數，來作表達的符號，奇數爲陽，九是陽數的極點、最高位；五是陽數的最中位，二者代表至中至正，九五之尊義意在此，易經乾卦九五爻也非常好，和第四爻不同，九五爻的飛龍在天，像條龍一樣在空中飛，遨遊自在，亦是利見大人。整個易經研究完了，利見大人的卦爻并不多見，這裏利見的是什麼大人？假定我們以漢高祖爲比方，當他打敗了項羽，自已創業的時候，正是飛龍在天了，他還要利見大人，這個大人是誰？是指他所遇到的都是好人，都是對他有幫助的人，看漢高祖的一生，正是一個乾卦，最初倒楣當一個亭長，一天到晚喝喝酒，正是潛龍勿用，後來到了飛龍在天，利見大人的時候，他所遇見的人個個都是好人，個個都有用處，個個說他好，都幫助他。

亢龍有悔

每個卦到了最後一爻，陽爻稱爲「上九」，陰爻稱爲「上六」，每卦的第一爻爲「初」

，最後第六爻爲「上」，乾的九五，在外卦而言是中爻，人取其中則是，事物取其中則是，到了頂點則不是，沒有出頭亦不是，所以易經告訴我們正中之位，算命看走運不走運，就看是不是得其時，得其中，如得其中位，無往而不是，不得其中則處處都不是，這個中亦可讀成「仲」的音，如打靶打中了，對了。到了上九就是亢龍有悔，亢者高也，高到極點，高而無位，貴而無民。中國的哲學，皇帝自稱「孤家」、「寡人」，位置到了最高處，就很寂寞，聽到的都是好話，簡直聽煩了，年紀大了的人談起話來也常常說：「現在能談話的人已經沒有幾個了！」我說這是「亢龍有悔」呀！所以人的年齡到了那個高位，到處叫他老公公，到處請他上座，這就到了亢龍有悔，這裏的悔不是後悔的悔，是晦氣的晦，到這個時候倒楣了。換句話說，就是萬事不要做絕了，做到了頂，對不住，有悔，保證有痛苦，煩惱跟着來了。看歷史上唐玄宗多麼好，後來到讓位給他兒子，就遭到了很慘的局面。

見群龍无首——吉

「用九，見群龍无首，吉。」

注意「用九」這兩個字，易經中祇在乾卦中有「用九」，坤卦中有「用六」，其他卦中，都沒有出現這兩個字，這中間就有問題了，我們知道九是代表陽爻，從初九到上九，都有解釋，用九又是什麼意思？再看下面見群龍无首，吉。乾卦到這裏，才大吉大利，這是怎麼說法呢？這句話在後人研究易經的有關書籍裏，各有各的講法，都各有一套理論、一套說辭。可是研究通了以後，非常簡單，我現在告訴大家一句話，用九就是不被九所用，而是你能夠用九，那麼用九是用那一爻的九呢？那一爻都不是，又那一爻都有關係，這就高明了。祇有拿中國文化歷史來代表說明這件事情，就是我在以前講論語的時候，說過中國文化注重道家的隱士們，歷代的隱士們，和當時歷史時代的開創，有絕對的關係，可是在歷史的記載上都找不到他們，如三國時代的諸葛亮，是誰培養出來的呢？是他的老丈人黃承彥和老師龐德這些隱士，像他們就是用九，改變了歷史的時代，而自己又不受環境的影響，所以要用九，見群龍无首，不從那裏開始，永遠沒有開始，也永遠沒有一個結束，既不上臺，當然也不會有下臺，用九最高明，用九者不被九所用，換句話說就是告訴了我們做事的道理，以現代話來說，就是做事要絕對的客觀，不是與時代沒有關係，而是處處有關係，這是眞正領導歷史時代的作法。「群龍无首」，是一個圓圈，完整的，所以大吉大利。以做人來說，人到無求品自高，曾子亦說：「求於人者畏於人。」越是有求於人家就越怕人家，無求就是用九的道理，用九是元亨利貞，并不是潛龍勿用，潛龍勿用有待價而沽的意思存在，用九則已經忘我了。以現代話來講，用九是中國文化最高的哲學精神，有人說儒家是捧帝王的政治哲學，這是不對的，儒家、道家的思想，都是從易經來的，把今日的西方文化拉過來講，眞正的民主，就是群龍无首，大吉大利，天下太平，人人都天下爲公了。

彖辭——孔子對易經的批判

彖曰、彖辭，曾經介紹過彖是一種動物，據說這種動物，能將鐵咬斷，所以才借用了這個名辭，彖辭就是斷語的意思，斷定的話。據說彖辭也是孔子作的，以現代觀念看，彖辭就是孔子研究易經六十四卦的結論、批判。傳統的說法是，卦辭、爻辭都是文王作的，一說卦辭是周文王作的，爻辭是文王的兒子周公作的，但考據上很難決定究竟是誰作的。

現在說到彖辭：

宇宙萬物的創造者

「大哉乾元，萬物資始，乃統天。」

孔子研究的斷語，他的人文文化觀念開始了，我們以前說過，乾卦所代表的，如以身體來說是代表頭，中醫的八卦代表，乾爲首，坤爲腹，艮爲背，眼爲離，耳爲坎，鼻爲巽，口爲兌等等，非常有道理，孔子的斷語不管這些，他祇說偉大得很，乾卦是代表宇宙萬有的根源、功能，生命的功能，宇宙萬有都是它創造的。前面提到過，與西方文化不同，西方文化是說宇宙萬有是有一個上帝、一個神、一個主宰所創造的。中國文化不來這一套，但亦不是唯物的，亦非唯心的，這個功能無以名之，我們就畫一個符號來表示，這符號叫作乾，它包括了唯心、唯物，亦包括了上帝、鬼神、菩薩、佛，已經脫離了宗教的色彩，脫離了玄學的色彩，是科學的哲學。何以知道孔子研究易經，是說乾卦代表宇宙萬物的本體？他在這裏明白的說「萬物資始」，宇宙萬物的開始都靠乾的功能，這是對乾卦的第一個觀念，他的第二個觀念「乃統天」，乾卦包括了天體，整個的宇宙都在乾的範圍以內，乾統率了天地宇宙，所以從孔子的觀念研究易經，又要注意到他認爲文王周公所提出來的乾卦，是代表宇宙萬有的本體、根源、生命的來源。

「雲行雨施，品物流形。」

就是說我們這個宇宙，像風的吹動，風爲什麼會吹？每天的氣象報告，這是科學，但西伯利亞的寒流爲什麼會起來的？颱風又怎麼起來的？颱風最初最初起來的時候，祇看到一個小水泡在旋轉，漸漸擴大，這是物理，但這小水泡又怎麼來的？用易經研究這些，就是科學的哲學，現在孔子說，雲的流行，雨的下降，雷鳴，電掣，宇宙萬物的變化，都是靠乾卦的功能來的，功能一動，便有一現象，就發生雲，某一現象就發生雨，構成各品各類的萬有的事物。

玉皇大帝的六條龍馬

「大明終始，六位時成，時乘六龍以御天。」

這是說明時間的來源，時間在科學哲學上是人爲的，時間是相對的，沒有絕對的。西方現代科學愛因斯坦的相對論發現以後，才知道宇宙的時間是相對的，而中國的儒家、道家、佛家早就告訴了我們時間是相對的，不是絕對的。道家老早就說，月球的一天一夜，就是地球上的一個月，現在科學證明的確是這樣，不過現代外國人講的我們就相信了，而我們祖先講得那麼肯定，卻不相信。「大明終始」，就是講時間，大明從早上開始，晚上結束。「六位時成」，我們中國人過去把白天分作六個階段，晚上亦分作六個階段，成爲十二個時辰。一個時辰，等於現在的兩點鐘，所以成爲六位，而這個六位是根據易經畫卦爲六爻的思想來的，是人爲的相對的而不是絕對的。也許太陽和其它星球的時間劃分，和我們不一樣，但中國六位時間的形成，是以乾卦的功能來的。「時乘六龍以御天」，以龍來代表時間的動，像一條龍一樣在空中飛，因爲龍是看不見的，但又有飛的功能，時間從早晨天明到晚間天黑的六個階段，永遠在旋轉，像六條龍銜接起來，在天體上很有規律的駕御而過。後來在文學上，宗教的神話中說，玉皇大帝出巡時，有六條龍爲他拉車子，亦是由這句話編出來的，事實上這句話是說，宇宙間時間的構成，與地球，與人類的關係，有一定的法則，這一功能是來自乾卦。

大吉大利的保合太和

「乾道變化，各正性命，保合太和，乃利貞。」

這裏明白的告訴我們生命的本源，儒家的思想，道家的思想，諸子百家，中國文化講人生的修養，都從這裏出來，這裏告訴我們要認清乾的道理，生命的本體，把握了這點，就知道乾道的變化，在各正性命，眞懂了這個道理，自己就可以修道了，修成長生不老。中國文化中道家講究兩個東西——性與命，性就是精神的生命，命就是肉體的生命。西方哲學唯心的，祇了解到性的用，對性的本體還沒有了解，把意識思想當作性，這是西方哲學的錯誤。命，西方醫學到了科學境界，但仍不懂「氣」的功能，現在美國流行研究鍼灸，研究中醫，仍不懂這個功能，西方的病理學，注重在細菌方面，如今亦研究到病毒，這還是以唯物思想作基礎。東方中國的病理學，不管細菌不細菌，建築在抽象的「氣」上面，因爲氣衰了，所以才形成了病，西方的抗生素，往往把氣困住了，我常常告訴朋友，西醫祇能緊急時救命，不能治病，西醫治了以後，再去找著名的好中醫處一個方子，好好把氣培養起來，補補身體，在病理上，細菌是那裏來的？爲什麼形成？有許多細菌幷不是從身體外面來的，如白木耳是用細菌種的，但有更多木頭上面自己生長靈芝一類，這菌又是那裏來的？這是講性與命的道理。懂了易經，自己就曉得修養，自己調整性與命，使他就正位，思想用得太過了，妨碍了性，身體太過勞動，就妨碍了命，這兩個要中和起來，所以各正性命，於是保合太和，中國人道家佛家打坐，就是這四個字，亦即是持盈保泰。所謂持盈，有如一杯水剛剛滿了，就保持這個剛滿的水平線，不加亦不減，加一滴則溢出來了，減一滴則不足。所謂保泰，當最舒泰的時候要保和了。譬如用錢，決定保存一百元，如用去十元，便立卽補上，仍保存一百元，這就是保泰。所以打坐的原理就是保合太和，把心身兩方面放平靜，永遠是祥和，擺正常，像天秤一樣，不要一邊高一邊低，政治的原理，人生的原理，都是如此。孔子就告訴我們「乾道變化，各正性命，保合太和，乃利貞。」什麼是大吉大利？要保合太和啊！

所以研究易經，看了孔子這些話，還卜什麼卦呢？不卜已經知道了，保合太和，才利貞——大吉大利嘛。

「首出庶物，萬國咸寧。」

這兩句話，應該是和上面連起來的，是乾卦彖辭的最後兩句話，可是宋儒把它圈斷了，這八個字是用到政治哲學的原理上去了，各種政治理論說了半天，不如中國人四個字「國泰民安」，國家太平，老百姓個個平安無事，就是天下太平。

天行與天道——象辭的說法

象曰，這是象辭，象就是現象，據說象辭是周公作的，不是孔子作的。又有一說象辭也是孔子作的，到底是誰作的？這是考據家的事情，我們不去管，亦不需要去管，我們要的是它的精神。

「天行健，君子以自強不息。」

這句話大家太熟了，這又是人文思想，乾卦代表天，行是運動的意思，這是教我們效法乾卦，道家老子亦說：「人法地，地法天，天法道，道法自然。」人的修養效法大地一樣，給我們住，給我們生長萬物，供給我們食，我們一切都靠土地，人類沒有土地就完蛋了，但是我們還給土地的是糞便垃圾，可是土地幷不計較，照舊生長出東西來供我們食、用、享受，所以人的胸襟要效法地，而地是靠什麼能夠這樣？靠宇宙，靠天，而天則祇有付出，沒有收回去，像太陽一樣，祇放射出來，幷未從地上吸收什麼。而宇宙却是效法道，道是什麼？是自然的，沒得什麼效法了。總之是教我們做人的精神，應效法自然的法則，祇有付出，沒有收回，這是老子所講的「道」的精神，亦就是易經上的「天行健」，天體不斷在動，永遠在動。天體假如有一秒鐘不動，不必要用原子彈，整個的宇宙都要毀滅掉了。第二句話「君子以自強不息」，正如老子所說的意思一樣，做人要效法宇宙的精神，自強不息，一切靠自己的努力，要自強，依靠別人沒有用，一切要自己不斷的努力，假使有一秒鐘不求進步，已經是落後了。

上面象辭的第一句話，是解釋卦辭的，接下來下面的話則是解釋爻辭的。

「潛龍勿用，陽在下也。」

前面說的，以太陽來比喻，過去的觀念，不像現代物理世界的科學，過去的陽是抽象的，乾卦六爻的第一爻現象，是陽能壓制在下面，沒有上來，所以潛龍勿用，拿太陽作比，是還在地心下面，天尚是黑的，不要強出頭來。

「見龍在田，德施普也。」

這又拉到人文文化上來，就是說二爻的象，等於一個人的道德行爲，給予人家的利益，作普遍的發展。

「終日乾乾，反復，道也。」

第三爻的解釋，反復，道也。這是易經告訴我們因果的道理，怎樣過去就怎樣回來，像地球物理一樣，從太空中就看到，一件東西出去，經一個圓圈又回來了原位，終日乾乾，就是教我們得意了，上了臺要特別小心，因爲反復，有得意就有失意，有上臺就有下臺，有好處就有壞處，一反一復，「道也」是自然的法則，必然的，逃不了的，你以爲整了人，可是一定有你的吃虧處。

「或躍在淵，進无咎也。」

四爻的爻辭是告訴我們，可以再進一步，沒有毛病。

「飛龍在天，大人造也。」

「造」念「俎早」反切的音，意義與操相通，就是說人到了這個階段，就要「造」這個境界。

「亢龍有悔，盈不可久也。」

這個「亢龍有悔」的爻辭在這裏是說，凡事不可求滿，滿了以後不會長久，所以一切事情要留點遺憾、留點缺陷，并沒有錯，這一點缺陷都彌補完了，亦就完蛋了，所以盈不可久也，中國政治的原則是「憂患興邦」，一個國家遇到艱難，往往是興起的時代，是好的開始，一路旺盛，像歐洲的羅馬，我國的唐代，任何事情到了鼎盛的時候就要小心走下坡了。

「用九，天德不可為首也。」

老子就是這個思想，用九就是天道，人法地，地法天，天法道，道法自然，天地生長萬物給我們，沒有要求拿回什麼，利息都不要，祇有布施，所以用九的道理，在效法天地之德，不要自己創造什麼？而且也創造不了。看歷史，一部二十四史，誰作過結論？宇宙就是這樣，沒有結論的，天德不可爲首，亦沒有開始，人類歷史亦是這個道理，永遠在演變中。

易經的彖辭、爻辭、象辭，都是以天地法則的觀念，拉到人事上來講，就是周易的精神，亦是中國文化精神的開始，至於它的應用，則不在周易上，而散置於外，保留在道家的連山易、歸藏易中。

文言——人文的思想體系

現在象數方面暫講到這裏爲止，再繼續講易理，前面說過了乾卦的卦辭、爻辭、象辭和象辭，有三個不同點，第一是乾卦構成了文化思想的卦辭和爻辭的觀念；第二是象辭，是對乾卦卦辭和爻辭的解釋，由這一段解釋看出來，孔子把易經原來科學的東西，變成人文文化的哲學思想；第三象辭亦是把科學的東西變成人文文化的哲學思想，但是連帶以天文太陽系統的現象作爲象徵，以星象來說明道理，可見代表中國文化的易經文化，在上古起碼經過五百年一變，這五百年當中，對易經這套思想法則的演變，可見每一時代思想，每一法則都在演變，沒有辦法固定停留。古人的演變還比現代少，現代的演變更大，過去三百年當中，出了五十萬部書，現在是三年當中出五十萬部書，這不能說對文化思想沒有影響，這就說明文化思想在演變。

現在看到的是文言，據說是孔子作的，這是孔子研究易經「乾」、「坤」兩卦的心得報告，不是小孩子唸書「白話」、「文言」的文言，這裏所謂的文言，是現代所謂的「思想體系」，變成文字，謂之文言，在晉朝以前，文言并不放在乾卦的內容之中，而是放在繫辭當中，是晉代王弼將文言放在乾卦中，以下我們開始硏究文言的本文。

盡善盡美的人生

文言曰：「元者，善之長也；亨者，嘉之會也；利者，義之和也；貞者，事之幹也。」

這是白話文，很簡單，我們都看得清楚，這是孔子研究易經以後，對於文王所作乾卦的卦辭「元、亨、利、貞」四個字的解釋和引伸，至於周文王當時所作乾卦卦辭的意義，究竟是科學的還是哲學的？後人不知道。前面我們說過，彖辭是屬於科學的，象辭則偏重於人文思想。彖辭和象辭是同一時代產生的，或作於兩個不同的時代？也是問題。現在孔子在文言中對元、亨、利、貞四個字的解釋，完全納入人文思想的範圍中，對於宇宙物理科學方面都不管，這亦就是儒家思想的開始。孔子對於元字，強調的是「善」，善的思想、善的行爲…、一切好的一面的成長，才夠得上所謂元。元是代表萬物的開始，好的一面的開始，才叫作元。。亨則是好的集合，嘉是良好的意思，很多良好的因素，集合起來，成爲好的集合，才能稱亨。利則是要達到和，「和」在現代的觀念是和平，怎樣才能和平？人與人之間，人與物之間能相和嗎？要恰到好處的相和，最適宜的和，才能得到眞正的利，假使我有利，你沒有利，乃至損害到你；而你得了利，又要會損害到他，這種有損另外一人的利，并不是利的目的，亦不是利的定義，這裏的利，是兩利，彼此間都有利，才夠得上利。至於貞，則是一件事物的中心，有些團體中有幹事這個職務的名稱，就是從這裏來的，楨幹，中心就是貞。

「君子體仁足以長人，嘉會足以合禮，利物足以和義，貞固足以幹事。君子行此四德者，故曰乾元、亨、利、貞。」

這裏再度引申一下，發揮上面的四點，這亦就是儒家思想。孔子講的人文文化教育的目的，一個人受了教育以後，要具備元、亨、利、貞四個字，才夠得上作爲一個人，亦即要養成「體仁足以長人」，自己的胸襟，內在愛人，才能夠領導別人。「嘉會足以合禮」，一切的嘉會，人與人之間的相處很好，才能合禮，禮卽是中國文化禮記中所標榜的社會，亦卽是今日我們所標榜的康和樂利的社會，才能實現。「利物足以和義」，儒家思想中有「濟人利物」的話，「物」字不止是指動物、植動、礦物，在古代的「物」包羅很廣，等於現代語「這個東西」的「東西」，是一個抽象名辭，利物足以和義的利物，意思是我們人類應該利物、用物，而不被物所用。現代西方來的文化，人都被物所左右了。「貞固足以幹事」，養成內在堅貞，意志堅定，然後可以做事。「君子行此四德者，故曰乾元，亨，利，貞。」這是孔子的結論。

孔子研究乾卦，到這裏完全拉到人文思想這方面來了，啓發了後來唐宋之後，一般儒家研究易經的路線，沒有走往象數方面去，沒有向科學方面走了。

下面的解釋亦是在人文文化方面，但有所不同，我們亦可以由此認識儒家、認識孔孟思想。

特立獨行——沒沒無聞的潛龍

「初九曰：潛龍勿用，何謂也？子曰：龍德而隱者也。不易乎世，不成乎名，遯世无悶，不見是而无悶；樂則行之，憂則違之，確乎其不可拔，潛龍也。」

初九爻的爻辭說「潛龍勿用」是說的什麼呢？前面已經有了兩個解釋，現在孔子解釋，龍的精神是看不到的，不會完全給人看見的，一個人如道家老子說的功成名遂身退。幫忙了人家，人家還不知道是誰幫了忙，就是「龍德而隱」的道理，一個人做到社會外界環境儘管變，自己不易乎世，不受外界變的影響，自己有堅定獨特的思想，也不要求在外面社會上成名，（孔子、老子、莊子都走這條路線）不成乎名，當這個世界不能有爲的時候，自己隱退了，不求表現，亦不求人知，沒沒無聞，而不煩悶，眞的快活、樂觀，不讓憂煩到心中來，更重要的是這種精神能堅定不移，確乎其不可拔，毫不動搖，這就是初九爻的潛龍，現在經過孔子這一解釋，把潛龍勿用的勿字下了定義，這勿字是表示原來有無比的價値。并不是不能用，亦非不可用，而是自我的不去用，孔子的一生，是做到了「潛龍勿用」的精神。

領導者的修養與風範

「九二曰：見龍在田，利見大人，何謂也？子曰：龍德而正中者也，庸言之信，庸行之謹，閑邪存其誠，善世而不伐，德博而化。易曰：見龍在田，利見大人，君德也。」

孔子對九二爻的解釋，是講一個領導人的風格德性。（有如龍的德性一樣，不祇是最高的領導人，一個小單位的主管乃至一個家長，都是領導人。）有如龍的德性，是至中至正，人要達到至中至正，先要養成胸襟的偉大，以西方哲學而言，要絕對客觀，平常的話都要實信，平常的行爲都要小心，要防止自己產生不正的思想和歪曲的觀念，要隨時存心誠懇，對於世界有了貢獻，乃至挽救了時代社會，自己并不驕傲，并不表功，不認爲自己了不起，有很厚的道德，又能普遍的感化別人，這是九二爻爻辭的意思，這是領導人的修養標準。這裏孔子把九二爻的爻辭，完全解釋成人文思想的修養，要想做一個領導人，便要中正、存誠、信言、謹行，功在天下亦不傲慢，能夠普愛天下人，這就是九二爻的意思。

知至至之　知終終之

「九三曰：君子終日乾乾，夕惕若，厲无咎，何謂也？子曰：君子進德修業，忠信，所以進德也；修辭立其誠，所以居業也；知至至之，可與幾也；知終終之，可與存義也。是故居上位而不驕，在下位而不憂，故乾乾因其時而惕，雖危无咎矣。」

這裏孔子解釋乾卦第三爻的爻辭，可作爲每個人做人做事做學問的標準。進德的意義，這要注意，看到秦漢以上的書中的德字、道字，不要拿後世「道德」的觀念連起來用，這裏的「德」字，雖然有後世道德的觀念，但在五經中「道德」兩字連在一起的很少，古書中的德字是指行爲，多半是代表「成果」，進德就是說求進步，修業則包括了學問、技能。孔子研究第三爻的結果，認爲是指一個人欲如何進德修業，都要這樣戰戰兢兢的小心，他并解釋，「忠信，所以進德也。」什麼是進德？在孔子人文文化的思想中，人的修養，要做到忠信這兩點，所謂忠，就是前面所說的「閑邪存其誠」，古代的忠字，不要用唐以後一定要殺了頭，才算忠臣的「忠」字觀念來註解，古代對於忠字的解釋，是對人對事沒有不盡心的爲忠。言而有信，信自己，信別人爲信，這是進德。至於修業，要修辭立其誠，所以居業者也。後世將文章寫好稱作修辭，文學院有「修辭學」的課程，研究怎樣把文章寫得美，古人稱推敲，易經中的修辭，假如亦是這個意思，那麼好了，古人教人修業，祇要把文章寫得美就行了，當然絕對不是如此，易經上的修辭所含的意義，包括了言語、文字和行爲，要和辭章一樣，古代「辭章」的觀念，并不是限於白紙黑字的文字著作，而包括了待人、處世、做事乃至於都市建築的設計，都是修辭，所以「修辭立其誠」，就是說言談舉止方面，做人要誠懇，這是居業的條件，無論做任何事業，做官也好，做工程師也好，乃至當清道夫也好，講話要得體，風格很夠，本位站得住，這就是修業，這是孔子對進德修業的解釋。這還不算，下面他繼續發揮：「知至至之，可與幾也，知終終之，可與存義也。是故居上位而不驕，在下位而不憂，故乾乾因其時而惕，雖危无咎矣。」這可難了，這亦是精義所在。這裏是說，人最高的智慧要做到對自己、對人、對事，知道機會到了，要把握機會，應該做的就做。看歷史就知道，中國歷史上有三個人變法，第一個是春秋時的商鞅變法，第二個是漢代的王莽變法，第三個是宋代的王安石變法。秦以前原來是公田制度，商鞅變法，一變而爲私有財產制，結果商鞅自己弄到被五馬分屍，但是他的辦法好不好呢？好得很，自商鞅變法，秦漢以後，因爲私有財產制，產生了最古老的資本主義思想，社會繁榮富足。到了漢代，王莽又要變法，把私有財產制，變爲公有財產制，失敗了。到了宋朝王安石，亦想走這條路子，最後又失敗了，但王安石的所謂新法到底好不好呢？後世評論他是了不起的大政治家，但他不能「知至至之」，那個時代的趨勢還沒有到，他雖有高度的思想，高度的辦法，可是沒有用處，所以要「知至至之」，時機到了便做，則剛剛好，就可與幾也。什麼是「幾」？就是知機，未卜先知，就是知這個幾？等於看電視，手剛搭上開關，在卽開未開之間，那一刹那就是幾，要有這樣恰到毫顚的高度智慧，看準了，時間到了，應該做就做，對了便可改變歷史，「知終終之」就是看見這件事，應該下臺的，就「下次再見，謝謝！」立卽下臺，永遠留一個非常好的印象在那裏，但這個修養很難做到的，孔子、老子，都是這個思想，老子說的「功成、名遂，身退。」就是知終終之，但「知終」的「知」很難，如懂了這個道理則「居上位而不驕」，雖然坐在最上的位置，亦不覺得有什麼可驕傲的，這如同上樓下樓一樣，沒有永遠在樓上不下來的，那麼在下位亦無憂，因爲時代不屬於自己的，所以人生隨時隨地要了解自己。所謂乾乾因其時而惕，要認識自己，時間機會屬於自己。就玩一下，要知道玩得好，下來也舒服，這樣縱或有危險，但不至出毛病。從這裏就看到孔子的思想就是一個「我」，人生如何去安排我，每一個人把自己的自我安排對了，整個大我亦安排對了，有許多事往往是因爲這個「我」安排得不好，把整個事情砸爛了。

山中宰相

「九四曰：或躍在淵，无咎，何謂也？子曰：上下無常，非為邪也；進退无恒，非離群也；君子進德修業，欲及時也，故无咎。」

易經講了半天講到極點，祇教你把握一個時間、空間，時間不屬於自己，任你怎樣努力，亦沒有用，時間到後來被變作運氣，運不來，輪不到那個時間，再轉亦沒有用，但是要注意，看歷史就知道，有些人時間到了自己的前面，却又讓時間輕輕溜過去了，但「或躍在淵，无咎。」這句九四爻的爻辭說的是什麼呢？前面說過，這句爻辭的「或」字，等於一個人站在門中間，一脚在裏一脚在外，進出都可以，所以孔子這裏說「上下無常，非爲邪也。」要上去或要下來都可以，但幷不是滑頭，當然滑頭亦可以做到這樣，這中間就在各人的內心了，再進一步解說，一個人處世，或者進一步，或者退一步，亦沒有辦法固定，但是始終不是爲個人，祇是爲社會，爲國家，要有貢獻，幷不是滑頭，但爲什麼要這樣？因爲這樣站在中間，是等待時機，所以這是无咎的，當然人生做到第四爻，那是最舒服的，歷史上有些人可以做到這樣，舉例來說，道家所標榜南北朝時候的陶弘景，有名的所謂山中宰相，南北朝幾個皇帝，大事都要請教他，但他永遠不出來，不做誰的官，像這一類人，所謂上下无常，進退无恒的人，中國歷史上滿多，可是他的情感，對於社會、國家的貢獻，幷沒有忘記，幷不是專門爲私。

同聲相應　同類相求

「九五曰：飛龍在天，利見大人，何謂也？子曰：同聲相應，同氣相求；水流濕，火就燥；雲從龍，風從虎，聖人作而萬物覩，本乎天者親上，本乎地者親下，則各從其類也。」

九二爻說利見大人，現在九五爻亦說利見大人，這到底說什麼呢？是很妙的，而孔子的解釋亦妙得很，這亦看出他老人家的「上下无常，進退无恒。」也蠻滑的，有人寫文章受他這一段的影響很大，那就是司馬遷，試翻開伯夷列傳看，司馬遷整個的思想路線，都是走的這一段路，他對人生的評價，也是走這一段路，這一段很妙很妙，要詳細研究起來，問題很多，這一段的文字亦很美，但不要被美的文字騙過去了，古人的文章，文字境界很高，讀起來，往往因爲喜歡文字的美，而忽略了文字中重要的思想，如滕王閣序，大家讀起來，「落霞與孤鶩齊飛，秋水共長天一色。」都覺得文字很美，可是王勃在這篇文章中所透露的思想，卻被忽略了。再如馬克斯者流，所寫的東西，文字上簡直不通，可是因爲他的文字不好，許多人反而去研究他似是而非的思想了，研究得一塌糊塗，同時也遺害了今天的中國。

現在我們先了解同聲相應這一段的文字。

「同聲相應」，這四個字研究起來很有趣，所謂「同聲」，我們試到鄉村就體會得到，有一隻牛叫，另一隻牛亦叫，相應了，因爲同聲，但牛叫雞不會叫，因爲不同聲。「同氣相求」，同一個氣類的東西，這個「氣」字很玄了，以現代科學的理論來說，物質原素排列相同的，自然合起來，這兩句話又在說些什麼呢？再看下面，透過了文字，就知道他的思想。「水流濕」，當然水向濕的地方流。「火就燥」，越乾燥的地方越容易起火，這都是說自然的現象。「雲從龍，風從虎。」龍大家都沒見過，老虎一來風就來了，臺灣沒有老虎，在大陸上，夜裏在鄉下丘陵地帶走路，就要注意，有風來了，老虎就來了，這是中國古代的物理常識，這些都是說物類的相從，可是孔子講這些幹什麼呢？和「飛龍在天，利見大人。」又有什麼關係？他沒有交代，現代年輕人常常說：「中國古代沒有什麼東西，祇搞搞文字，沒有思想。」這種說法才眞是沒有思想呢！下邊他又說「聖人作而萬物覩。」我們現在一談到聖人就想到孔夫子，這裏孔夫子所講的聖人當然不是他自己，亦不是指文王、周公，而是中國文化中的一個代名辭，如佛家講的「佛」，基督教講的「神」，都祇是一個代號。「聖人作而萬物覩」的意思是說，世界上有人文文化出來，唐堯虞舜開創人文文化以後，萬物的道理就看得清楚，這是講人的，下面再講物理的性質：「本乎天者親上，本乎地者親下。」如一次燃燒，有的化爲氣的上升，有的物質下落於地，於是他的結論「則各從其類也。」各人從他的同類。

他這一段到底講了些什麼？司馬遷在伯夷列傳中亦講到這個問題，他首先列舉了好些個善人，都沒有得到上天的好報，懷疑這樣的天理，而最後引用了這段文章作答案，寫得非常妙。

我們先解決一個問題，以前的文學中，常有「攀龍附鳳」這句話，例如漢高祖起來了，陳平、蕭何這些原來不過縣政府的小科員，亦做了一國的宰相，所以這一段，說穿了，亦就沒味道，那祇是他的人生哲學，所謂利見大人，祇是各從其類，各人的愛好，亦可以說是世界人類心理的分析。有些想發財的人，就看不起官位，這就是各從其類的意思，由這個道理可以看人生。到了九五爻這裏的利見大人，不是普通的大人，是各從其類的大人。

莫到瓊樓最上層

「上九曰：亢龍有悔，何謂也？子曰：貴而无位，高而无民，賢人在下位而无輔，是以動而有悔也。」

人不要坐到最高位，換句話說，做人亦不要做得太高明了，做得太高明不好玩的，貴到沒有位置好佔，有的人，學問、人格、儀表都好，可是太貴了，貴而到了無位，連一個科員的位置都得不到，高明到極點，就沒有幹部了，或者說天下人都是幹部，可是天下人都不敢說話，有意見都不敢表示，這就討厭了，到這時就到了亢龍的境界，這時即使是好的，也會被打下來了，自己左右沒有人來幫助，所以這一爻最不好，「動而有悔」動輒得咎，沒有好的事情臨到身上了。

孔子這一段，把六爻的爻辭，統統拉到人文文化的這一方面，很重要的。

用九而不被九用

下面又不同了，如果亦是屬於孔子研究易經所說的話，那麼可能孔子去年的心得報告和前年的心得報告又不同了。我們先看看原文：

「潛龍勿用，下也；見龍在田，時舍也；終日乾乾，行事也；或躍在淵，自試也；飛龍在天，上治也；亢龍有悔，窮之災也；乾元用九，天下治也。」

「潛龍勿用，下也。」下這個字的意思，太低了。「見龍在田，時舍也。」時間定在那裏，舍就是住，定住那裏。「終日乾乾，行事也。」這是對做事而言。「或躍在淵，自試也。」是自己準備，試探一下。「飛龍在天，上治也。」上面最好的現象，天下太平的境界。「亢龍有悔，窮之災也。」到了極點，前面再沒有路走了。「乾元用九，天下治也。」整個是好的，天下太平。這一段的六爻解釋又不同，而且講得非常抽象。

「潛龍勿用，陽氣潛藏；見龍在田，天下文明；終日乾乾，與時偕行；或躍在淵，乾道乃革；飛龍在天，乃位乎天德；亢龍有悔，與時偕極；乾元用九，乃見天則。」

「潛龍勿用，陽氣潛藏。」這和最初的解釋一樣，等於晚上太陽在地球的下面，陽氣潛伏在下面，還沒有出來。「見龍在田，天下文明。」等於早上太陽剛出來，天下文明，我們注意文明這兩個字，出自易經，實際上是文章與光明兩個意思的聯合，文章就是指萬物攏在宇宙間的美麗現象，都稱作文章。「終日乾乾，與時偕行。」這兩句話大家務必要注意，剛才說過，易經的整個精神，也可以說是時，這幾句話非常重要，孔子告訴我們，要跟着時代來變，來進步；做人也好，做事也好，要認清楚時代，把握時代，還要進步，不能落伍，這是中國文化的精神。「或躍在淵，乾道乃革。」到了第四爻，由內到外，這是一個改革的、變更的現象。「飛龍在天，位乎天德。」這是講位，到了最高處了。「亢龍有悔，與時偕極。」一時間已到了盡頭，不再屬於自己了。「乾元用九，乃見天則。」是說乾元用九，爲天地的法則，天地造了萬物，但是不支配萬物，亦沒有把萬物收回來，所以用九而不被九用。

說到這裏，可以告訴大家，任何一卦的解釋都不是固定的，都是靠自己的觀念來解釋，各人的見解不同，卦的解釋也就見仁見智了。

現在我們繼續講乾卦的文言。

有關乾卦的解釋，周易中共分了五個階段，茲列表如下：

一、卦辭：如乾、元、亨、利、貞……。

二、爻辭：如初九、潛龍勿用、九二，見龍在田……。

三、彖辭：如彖曰：大哉乾元，萬物資始，乃統天……。

四、象辭：如象曰：天行健，君子以自強不息。潛龍勿用，陽在下也……。

五、文言

乾文言中又分爲六節：

（一）自元者善之長，至君子行此四德，故曰乾、元、亨、利、貞，為第一節。

（二）自初九曰潛龍勿用，至上九曰亢龍有悔，賢人在下位而无輔，是以動而有悔也，為第二節。

（三）自潛龍勿用下也，至乾元用九天下治也，為第三節。

（四）自潛龍勿用陽氣潛藏，至乾元用九乃見天則，為第四節。

（五）自乾元者始而亨，至雲行雨施天下平也，為第五節。

（六）自君子以成德為行，至知進退存亡而不失其正者，其唯聖人乎，為第六節。

成功與成名

如果我們用卜卦做依通的話，（如算命用子平，或用紫微斗數來算，都是依通的方式。）從前面各個階段可以看到，各階段的解釋不盡相同，其中除了爻辭，後面幾個階段的解釋，據古人說都是孔子作的，但後世採懷疑的態度，并不承認完全是孔子所作的，認為有些是孔子作的，有些是孔子的學生所作的，但就各階段觀念的不同來看，是否有些是後人所作，也很難說？因為古人有一種新的觀念產生，往往不敢直說是自己的新觀念，一定假託古人，如古人作詩，常常有好作品，卻不敢自名，而假託古人。最著名的例子，如晉朝著文心雕龍的劉勰，古代搞文學的人，幾乎沒有不讀文心雕龍的，這本書等於是中國古代最高的文法境界，他是在和尚廟裏長大的，當他還未成名的時候，寫了一篇文章，去拜訪當時很有名的大文豪沈約，請求指教推薦，沈約把他的文章，瞄了一眼，放在一旁，對他說：「還早呢？年輕人，慢慢來。」這一下，劉勰受了相當大的打擊，但他非常聰明，懂得沈約的心理，一聲不響回去，等了半年，把原來的那篇文章，稍稍變動一下，然後再送給沈約，說這篇文章，是一位古代大文豪絕世的稿子，被他找到了，請沈約批評，沈約接過來閱讀，一字一歎，大爲叫好，可是等沈約讀完了，讚美了半天，劉勰才說，這就是半年前送來請你批評，你說不好的那篇文章，這還是我作的那一篇呀！再舉個近代的實例，以前在上海出品無敵牌牙粉的家庭工業社大老闆——天虛我生，年輕窮困時投稿謀生，都被退稿，後來辦了家庭工業社，執上海工商界牛耳，各報章雜誌，都以高額稿酬請他寫文章，他把過去被退回的文稿再寄出去應付，登出來以後，人人都說好，從這兩個故事上，使我們看通了所謂成名與不成名，實在沒有什麼道理，古人當其道不能行的時候，所以往往和劉勰一樣，祇好假託他當時的古人，再不然，就變成秘本，無名氏的著作，越是秘本就越易流行，這就是人類的心理，不過現在的人不同了，不但是抄古人的文章據爲己有，乃至於偸老師、偸同時代人物的文章爲己有。

從這些心理狀態分析，所以對易經乾卦卦爻各種不同觀念的解釋，是不是出於一個人的手筆？是不是出於同一時代？的確是一個問題，我們不能不同意這些疑古派的意見，不能說他們一點理由都沒有，但是依我們看，時代上離開不會太遠，因爲在原則上幷沒有變。

現在我們看到文言的第五階段，這是最重要的地方了。

好的開始

「乾元者，始而亨者也。」

這裏解釋「乾，元，亨，利，貞」，乾卦元字的意義，是「始而亨者也」，是代表元始，同時代表元始就是大吉大利的、是亨通的。如以做事來說，就是一開始就好，但要注意的是，在這裏「元」與「亨」是連起來解釋的，意即原始的、亨通的，而且是完整的、並代表了一個很好的開始。

性與情

「利貞者，性情也。」

一個性，一個情，講到中國文化的哲學，這裏就提出來了，性情這兩個東西，性代表人的本體、本來，情是後來發展爲人的情緒，中國人原來講人的心理，有所謂七情六慾，六慾是佛家的觀念，七情則是喜、怒、哀、懼、愛、惡、慾。以現代觀念而言，性是理智的，譬如遇到一件事情，在觀念上覺得不應該罵的，可是因爲情緒不好，一見不對就罵，在罵的時候自己也知道何必生那麼大的氣，可是忍不住罵了，理性上知道不必要，可是在情緒上忍不住，情亦和生理有關係，假使感冒了，或者腸胃不好，身體不舒服，往往情緒壞得多，這是一種性情，另外一種物理的性情，如堪輿學上的一些道理，房屋前有塘不好，後有塘守空房，左有塘好，右有塘年輕人至少要離家出走，門前有路繞過是所謂玉帶圍腰很好，如果門前橫過的路是反弓形就很不好。這上面就常常看到物理的情與無情的道理，現在拿易經來講，對性情兩個字，不作哲學的解釋，而作物理上的解釋，這裏說利貞兩個字，所代表的一個是性，一個是情，其中貞是性，利是情。

利與義

「乾、始能以美利利天下，不言所利，大矣哉。」

這解釋又與上面不同了，意思是乾卦所謂的利，我們要注意，現代提到利，都是利害觀念的利，易經中國傳統文化思想的利，并不是我求利，而是自己幫助了別人就稱作利，這裏就告訴我們，乾是能以最好的利去利天下，自己不求利，這種偉大的胸襟，才夠得上元亨利貞的利，所以中國文化的基本思想都從易經來的。

心物一元

「大哉乾乎，剛健中正，純粹精也。」

接着說乾卦所代表的性質，是剛健、中正，純粹的精也。問題來了，什麼叫作「精」？這很難解釋，用現代的話來說，這裏是說乾卦是宇宙萬物的本體，這個本體不是屬於物質的，物質不是宇宙萬物的根本，唯物哲學以物質當作宇宙萬物的基礎，根本是錯誤的，西方的唯心哲學也沒有說對，易經的哲學是心物一元的，這心物一元叫作精，這個道理牽涉很廣，如果發揮起來，又是另外一個專題了。

卦情

「六爻發揮，旁通情也。」

研究易經有一個名辭——「旁通」，讀漢代的易經，經常有這兩個字，卦的錯綜複雜就是旁通，一個乾卦的六爻放在那裏，每一爻的變，都可以變成另外一個卦，第一爻一變，就變成天風姤卦，第二爻再變就變成了天山遯卦，每個卦的六爻都可以變動，這六爻發揮出來，就是旁通，這個旁通，有一專門名辭爲「卦情」。哲學的道理，易經通了，人并不是物，一個人在一個團體裏，所謂牽一髮而動全身，如我同大家認識，彼此自然就有了感情，就要發揮旁通，旁通者情也，彼此相互的關係，這是情。

「時乘六龍以御天也，雲行雨施，天下平也。」

解釋乾卦的精神，在時間上如六條龍一樣，一天分六個時辰，駕御天體，就是他的功能，而風、雲、雷、雨等等，雲行雨施，使天下安定，這目的在解釋乾卦的本體，等於基督教說的上帝，佛教的佛，道家的道。

下面是解釋爻辭了。

理想與現實

「君子以成德為行，日可見之行也；潛之為言也，隱而未見，行而未成，是以君子弗用也。」

對潛龍勿用所作人文文化的解釋，這一解釋，也是研究儒家思想、道家思想和孔孟思想的根本處。儒家精神中的「行」，認爲有思想沒有構成行爲，有好的理想，有好的計畫，沒有做出來，沒有成果，對社會、國家沒有貢獻，儘管有很好的德性，仍不能算是成德，這可以作知行合一哲學的根本。「日可見之行也」，但是不要講那麼高遠的哲學，人的德業修養，在平常每日大家所看得見的，做得到的德行德業，一點小事都要注意，要隨時隨地改進自己的德行，而「潛龍勿用」是「隱而未見」的，雖有很高的理想，很高的道德，然而沒有成果出來，對社會、對國家沒有貢獻，大家看不出這理想，這是潛龍勿用，在人文文化上，并不是說君子是沒有用，而是沒有用出來。

領導者的條件與修養

「君子學以聚之，問以辨之，寬以居之，仁以行之，易曰見龍在田，利見大人，君德也。」

這裏解釋乾卦九二爻的「見龍在田，利見大人」，是「君德也」——領導人必須具備的條件與修養，第一要學，「學以聚之」，學問是累積起來的，老子的話「爲學日益，爲道日損。」做學問是每天每天慢慢累積起知識來的，修道則什麼都不要，都丢開，知識亦不要，學問亦不要。做學問則每一件知識都需要，這裏學以聚之，就是要知識淵博，樣樣都懂。「問以辨之」要好問，到處請教，以能問於不能，這是儒家常常提到的。「寬以居之」，僅有學問還不行，要寬厚，待人接物，胸襟要偉大，包容萬象，不能狹隘，然後「仁以行之」還要仁慈，學、問、寬、仁，四點一定要做到，「見龍在田，利見大人」就是這四德，是領導人應該做到的修養。

度過危機

「九三重剛而不中，上不在天，下不在田，故乾乾因其時而惕，雖危无咎矣。」

作一個中間的幹部，在一人之下，衆人之上的時候，這種位置最危險，因爲上不在天，還沒有到頂，下不在田，對下不能踏實，而上下的一切責任都落在身上，「故乾乾因其時而惕」，所以隨時隨地都在警戒自己，提醒自己，那麼雖危險亦可以沒有危險，由此知道，最後的這一階段的解釋，不但告訴我們個人的修養，亦告訴我們處世的原則。

無可無不可

「九四重剛而不中，上不在天，下不在田，中不在人，故或之；或之者，疑之也，故无咎。」

九四爻一爻一爻都是陽爻重重而來，陽爲剛，重剛又不在中間的位置，偏了。不在天位，不在地位，亦不在人位。天、地、人三位都沒有佔到，比方一個青年，大學畢業了，沒有出路，不在社會上做事，這時就上不在天，下不在田，中不在人，所以或之，或就是疑，是有考慮的餘地，這也是中國隱士的思想，什麼都不佔，換句話說，也類同於神仙處世的境界。

大人的境界

「夫大人者，與天地合其德，與日月合其明，與四時合其序，與鬼神合其吉凶。先天而天弗違，後天而奉天時，天且弗違，而況於人乎？況於鬼神乎？」

解釋九五爻，突然提出一個「大人」，這大人不得了，偉大得很。這裏有個大問題，也是我的「專利權」，現在告訴大家，幾千年來，大家講大學、中庸，一提到中華文化，好像就祇有大學、中庸，所以很多中外人士，就把大學、中庸代表了孔子思想，但事實上大學是孔子的學生曾子作的，和孔子原來的思想，稍有不同，中庸是子思作的，思想更與孔子的不同，但大學思想是那裏來的？就是易經乾卦九五爻這條來的。大學者大人之學也，試看歷代儒家的註解，尤其是朱熹註的大學者大人之學也。古禮六歲入小學，十八歲入大學，學做人了，長大了就是大人嗎？到香港還稱警察爲大人，他難道懂了大學，大學的「大人」，實際上是從這裏來的，而中庸是從坤卦來的。什麼是「大人」？等於基督教的上帝，佛家的如來，儒家的聖人，道家的神仙，這裏提出的大人是「與天地合其德」，與天地的德性相合了；「與日月合其明」，同太陽月亮一樣光明；「與四時合其序」，同春夏秋冬四時的程序一樣分明；「與鬼神合其吉凶」，同鬼神一樣變化不測。這樣的大人，除了聖人、上帝、神仙、佛以外，誰能做到？我曾經對一位前清的舉人說笑，我到了大人的境界，而且理學家說得對，人人都是堯、舜，人人都是聖人，說「天地合其德」，我并沒有把地當成天，天就是天，地就是地，豈不「與天地合其德」？說「與日月合其明」，我亦沒有把白天當夜晚，也沒有把夜晚當白天；「四時合其序」，冬天我絕對不穿絲織品衣服，夏天絕對不穿皮襖；「與鬼神合其吉凶」，我不敢去的地方，鬼亦不敢去，我說老先生們把聖人搞得太莫名其妙了。事實上人人都是聖人，我說聖人的境界本來亦很平凡，可是大家都被文字困住了，把聖人推得太高了，犯了「高推聖境」的毛病，把聖人的境界，故意塑造得太高太呆板了，中國文化的天人合一，就是那麼平凡。下面的話可以看到「先天而天弗違」，先於天，在宇宙還沒有開始以前的時候，這個功能是存在的，而天弗違——這個天即這個宇宙，開闢了以後，不能夠違背這個先天功能的法則，易經的法則，到了有這個世界以後，更不能超出這個法則——人生了就要死，花開了就要落的法則，自然的現象，沒有什麼稀奇；「天且弗違」，易經告訴我們宇宙的法則，最高的眞理，連這個有形的宇宙，都沒有辦法違背這個原理，又何況我們人類，鬼和神也出不了這個法則，後世以這裏的話來比皇帝，那是奉承的話，不必相信，皇帝稱九五，九是到了陽極，五是中正的意思，不是這個九五爻。

六字眞言

「亢之為言也，知進而不知退，知存而不知亡，知得而不知喪，其唯聖人乎？知進退存亡而不失其正者，其唯聖人乎？」

第六爻的爻辭「亢龍有悔」，所謂亢就是高亢，這個很重要，每個人都要注意，學了易經做人做事，不要過頭，過頭就是亢，大家都是平等的，祇知道進不知道退，祇知道存不知道亡，祇知道得不知道失去，就是亢，人很容易犯這個毛病，知道進退存亡得失的關鍵，就是聖人，學易就是使我們知道「進退存亡得失」六個字。

坤卦的研究

現在回過來講周易的坤卦。

說到坤卦，一個很大很麻煩的問題又來了，本來我主張研究易經，該從繫傳開始，爲了使大家在卦上多了解以後，再回轉來看繫傳，也許會更深入一點。

乾卦還好研究，坤卦就比較討厭了。

「坤、元亨，利牝馬之貞；君子有攸往，先迷後得，主利；西南得朋，東北喪朋，安貞吉。」

要注意，這裏也是元、亨、利、貞，但利、貞不緊接在元亨之後，而是利牝馬之貞，母馬之貞，公馬則不貞，換言之，假使卜卦，這句話祇利太太，當丈夫的沒有份，何以利牝馬之貞？「君子有攸往，先迷後得。」以卜卦而言，出門好不好？好！但是開始有艱難，弄得糊裏糊塗，最後卻有很好的成就，主利，大吉大利的。「西南得朋，東北喪朋。」出門如去西南，或在西南方作事業，一定成功，會有很多朋友幫忙，可是不利於東北，但本身沒有關係，得力的助手會失去，可是本身大利，所以要「安，貞，大吉。」這和籤詩一樣，不必解釋，都曉得了，可是認眞研究起其中的道理來就討厭了。坤爲地，地爲什麼會有這些個說法？一般學者，專門讀書，不研究象數的人，不懂上古道家科學思想的，對於易經就覺得討厭，尤其五四運動以後，有多少學者駡易經，在那裏痛恨自己的文化到如此地步。

參同契透露了坤卦的祕密

現在我們來作深入的研究：我們知道，乾卦代表太陽，坤卦代表月亮，也代表大地，這要注意到，自京房易的系統下來，漢朝有一部道家的書叫參同契，是丹經鼻祖，所謂丹經，是煉丹的，使一個人超凡入聖變成神仙，爲東漢魏伯陽眞人所著，又名火龍眞人，佛家稱佛，道家稱眞人。所謂參同，是就易經、老子、莊子三本書的道理和方法，對於人修煉成神仙的科學性原則是相同相通的，在參同契裏，從天地宇宙的法則，然後講到生命的法則，自己養生的方法，他的方法中，用了京房易這一系統的易經思想，說明了乾坤兩卦，太陽月亮和地球及地球外面的金、木、水、火、土五星，與人類身體內部生命法則相通的地方，其中提到坤卦是一個重大的問題。

說到這裏，報告大家自己認爲很得意的一件事，這件事到現在爲止，仍然是「祇此一家，別無分號」，是一件尚未被人發現的一個重大發現，對易經體認的一個獨家所有的不傳之祕：記得當年研究坤卦又研究參同契、京房易，幾條路不能相通，相當痛苦，尤其是看丹道方面的書，煉性、命方面的方法，簡直玄不可測，不可知，不可思議，感到奇怪，再退回來看一般學說上的、歷史上，乃至近代大學者如康有爲、梁啓超、章太炎等等的說法，不但都是批駁，而且處處存懷疑，但是我有一個觀念，我還是非常崇拜自己的祖先，認爲古人自有他的道理，經過很多年的研究，才把它弄通了。參同契中談到京房的納甲，爲什麼乾卦納甲，坤卦納乙？甲乙本來在東方，把納甲的圓圖一看，位置都變了，看參同契就更奇怪了，其中說：「三日出爲爽，震庚受西方，八日兌受丁，上弦平如繩，十五乾體就，盛滿甲東方，蟾蜍與兔魄，日月炁雙明，蟾蜍視卦節，兔者吐生光，七八道已訖，屈折低下降，十六轉受統，巽辛見平明，艮值於丙南，下弦二十三，坤乙三十日，東北喪其朋，節盡相禪與，繼體復生龍，壬癸配甲乙，乾坤括始終。」這在最初也不懂是怎麼個說法？道家所謂煉身體是煉精化氣，煉氣化神，煉神還虛，然後變成神仙，依照道家的辦法，大約一共需要十三年就可成功，我常說假如眞有神仙，祇需要十三年就可成功，眞是合算，用求學來比，國小六年，國中三年，高中三年，大學四年，一共費時十六年，大學畢業以後，找一個一萬元月薪的工作，還到處進不去，如果費十三年時間可以變成神仙，長生不死，該多舒服！這在西方文化是想都不敢想的，祇有中國人有這種理想。

看參同契的這段文字，以後再看易經的坤卦中「西南得朋，東北喪朋」，和參同契的「東北喪其朋」的話一對照，我把它貫通了，這裏坤卦是指月亮，我們中國幾千年來，天文曆法，都是用太陰曆，以月亮的盈虧作標準，與潮水的升降有關係，與土地的地質變化也有關係，氣候的變化，就是用這一套方法推測出來的，這比現在的天文臺、氣象所還要準確。太陰曆月亮每到十五滿月從東方出來，每五天一候，三候一氣，六候一節，都是根據月亮現象看出來的。可知我們的老祖宗，經過了幾千萬年的經驗，最後把這個法則拿出來，成爲全民的科學，人人都懂了，天文、人事，都能把握，所謂上知天文，下知地理，月亮盈虧的階段分爲六個，先說十五的月亮最圓的，十六最圓滿了，到了十七開始缺，二十三虧了一半，二十八沒有了，眞正的黑夜是二十八以後到下月初二，這期間假使帶兵走夜路，要特別小心，到了初三的眉毛月就出來了，是早晨看西方，掛在天上面，所以月出於西，到了初七、初八，夜中看到半月在正南方，到了十五又看到滿月在東方的位置，亦是乾卦的位置，因圓滿光明，所以是乾卦。這亮是眞陽，我們老祖宗就知道月亮本身不發光，是吸收太陽的光，到了十五月亮的光代表了陰中之陽，所以納甲納在這裏，再到了二十七八，月亮在東北方下去就沒有了，後天爲艮卦，先天爲乾卦現象，把這參同契的那段話和月亮的現象了解後，就知道這裏坤卦不是「西南得朋，東北喪朋。」而應該是「西南得明，東北喪明。」那麼從此知道這是中國古代的一套科學。

坤爲什麼獨利母馬

「元亨，利牝馬之貞。」對母馬就好，對公馬不好，爲什麼呢？讀易經，對中國文化的物理常識要豐富，我們到西北，看到野馬群，馬是喜歡合群的，一群上千匹的馬中，有一個頭子出來，一定是一匹公馬，這匹公馬領頭往那裏，這一群馬，無論公的母的都跟着它，非常擁護領袖，牛群亦是如此，牛群夜晚睡覺，母牛一定睡在靠裏面的安全地帶，公牛則一定睡在靠外面的地帶，以保護母牛，所以男人照應女人，是天經地義的事，打仗的時候，公馬亦一定衝在前面，所以牝馬（母馬）是追隨牡馬（公馬）的，這是第一個觀念。其次，世界上最偉大的是母愛，每一個宗教，到最後都是崇拜女性的，天主教的聖母，佛教的觀世音，都是女性，因爲母愛最慈悲、最仁慈、最偉大，所以中國文化上認爲女性「爲母者強」，不但人如此，各種動物亦如此，當母親的時候最堅強，試看母雞，平常非常軟弱，可是當他翼護小雞的時候，遇到了老鷹等等侵略者時，則會拚命保護小雞，精誠抵抗，這就是母愛的精神，犧牲自我的精神，所以母馬，不但有跟公馬，跟乾卦，順陽性的功能，同時本身還能發揮群愛，仁慈的精神，所以坤卦的象是牝馬，這是妙得很的。第三個觀念，我們知道在中國文學上「牧馬嘶風」的話，馬是喜歡走逆風，牛喜歡走順水，所以研究易經的象，要懂得中國古代這一套物理學，如中國文化的物理，冬天在郊野，欲知風向，看鳥棲息在樹上的位置就知道，如棲在東邊的枝上，即有東風來，棲在西邊的枝上，即有西風來，因爲鳥喜歡面對逆風，假如順風，他的羽毛被吹翻起來，可就要凍死了，這是當然的道理，馬喜歡逆風，因奔走時有更大量的空氣吸入，毛亦是順着吹，當然更舒服。

坤卦又代表月亮，月亮的發光是從太陽來的，也代表大地，地球的運動，也是跟着太陽作相反的運動，這些了解以後，就知道坤卦的卦辭，是非常含有科學道理的，中國文化的好處在把科學、物理、天文歸納到人事法則上來，因爲天地人，總是人的文化，缺點則在我們科學思想的進步比任何民族更早，而不願意向唯物方面發展，祇拉到人文方面來，這是就目前而言，究竟將來的歷史，是我們吃虧或是人家吃虧，那就很難講了，我們應該有自信，我想我們是不會吃虧的。

現在我們再來看坤卦的卦辭，就容易懂了。「坤，元亨。」元代表了後天的開始，亨通的，同大地一樣，月亮一樣，是光明的。「利牝馬之貞」，有利的像母馬那麼順，順天而行，亦可以說是順乾卦而行，亦可以說順陽而行，這樣產生的中國的人生哲學，同時也可以講男女夫婦的夫唱婦隨，和順家庭才興旺，事業才發展，社會才繁榮，并不是說夫唱婦隨卽是打倒女權，這個思想是最尊重女權的，如前面說的馬群、牛群，到了夜間在曠野中休息，自然會讓母馬母牛到中間安全地帶去睡，公馬公牛都在外圍擔任保衞的責任，男性的偉大亦在此自我犧牲的精神，所以夫唱婦隨的順道，并不是壓迫女性，因爲女性的許多先天性條件是需要保護的，所以這裏敎我們要有效法坤卦的精神，順大衆的精神。古代坤卦爲皇后之卦，如以卜卦而言，以這個現象問吉凶禍福，則「君子有攸往，先迷後得」像月亮一樣，先有一度是黑暗的，後面一直是光明，可是到了圓滿的時候要注意了，接着是下坡路，主利是指中間有月圓之日，大好的前途，因是月亮的情形。「西南得朋，東北喪朋」如照我前面的解釋，就像古人一樣把這兩句改爲「西南得明，東北喪明。」不過我亦認爲懂了這個道理，也不必要改。「安貞吉」是安詳的，講人生哲學，要效法坤卦的精神，坤卦永遠是平安的，等於地球，永遠是安詳，儘管汽車去輾壓它，開山去爆炸它、挖它，它亦不生氣，人要學到這樣包容、大度、安詳，就公正，結果大吉大利。

大地的文化

以上是我對坤卦的另一個專利的看法。下面是象辭，看法又不同了，又把坤卦拿來完全作大地——地球的解釋，所謂乾爲天，坤爲地。

「彖曰：至哉坤元，萬物資生，乃順承天。」

乾卦有一句話「至哉乾元」，是孔子贊歎的話，現在孔子又轉過來贊歎坤元，孔孟的儒家思想走這個路子，道家亦走這個路子，老子教我們效法天地，我們做人爲什麼要效法地球？「萬物資生」，萬物的生命靠地球才能夠生出來，它可沒有向我們要報酬，所以人要效法這種道德的精神，祇知付出不要收回去，大地爲什麼有這種功能和精神，因爲大地永遠像天一樣，給你光明，給你生命的能，它沒有想要破壞你，所以是承受了這種天道的法則，而構成了這個大地的精神，這是孔子第一個在抽象方面，贊歎坤卦——大地的功能。

「坤厚載物，德合无疆，含弘光大，品物咸亨。」

第二個觀念，又贊歎這個大地，教我們人要效法大地那麼偉大，月亮那麼光明。古人對一個胸襟偉大，了不起的大人物形容爲「光風霽月」，同月亮那麼光明磊落多好，地有多厚，厚到可以載萬物，所以它的德性之大是沒有邊界的，中國人以前都講天圓地方，而被指爲不科學，其實中國人科學得很，祇是把「天圓地方」的意思解釋錯了，中國古人幷沒有認爲地是一個方塊，而是說地是有方位的，分東、南、西、北方。試看孔子的學生曾子就說地是圓的，漢朝亦說宇宙如雞蛋，地球如蛋黃，沒有錯，祇怪後世的人自己讀書不夠，亂解釋中國文化，現在這裏亦說「德合无疆」，地那裏有疆界，地是圓的，那裏有起點？經緯度是人替它假設的，站在中國立場，中原是起點，站在英國立場，又另外假設一個起點，所以我們做人處世，要效法大地的精神，德要養得厚，而且要圓融廣大，含蓄偉大的光明，萬有的東西都靠大地生長。

「牝馬地類，行地无疆，柔順利貞，君子攸行。」

這裏又把科學精神，拿到人文文化上來解釋，母馬和大地一樣，逆風而行，就是地球與太陽之間的關係，地球是反太陽的方向運轉，「行地无疆」，地球永遠是運轉的，馬亦是不休息的，馬睡覺是站着的，懂得物理，這書中的味道就讀出來了，像廟裏爲什麼敲木魚，因爲魚的眼睛不會閉上的，魚是不睡覺的，所以敲木魚是教學道的人，要像魚一樣，時刻警醒，「行地无疆」，亦就是乾卦「天行健，君子以自强不息」同樣的道理，人不能有一分一秒的鬆懈，求學、做人、爲道、爲德，都應如此，還要「柔順利貞，君子攸行」效法乾坤一樣，與天地一樣的胸襟，包容萬象，自强不息。

「先迷失道，後順得常，西南得朋，乃與類行，東北喪朋，乃終有慶。」

這裏證明了這兩個「朋」字是「明」字，孔子這裏亦說，開始迷住了找不到路，後來順天體而行，自然反回正常，西南爲什麼得朋，東北爲什麼喪朋，那便是指它必須要與同類合群共行，結果終歸會有吉慶。

「安貞之吉，應地无疆。」

這是解釋文王卦辭，何謂「安貞吉」？人先要安、要貞——正派，能夠安，能夠正，自然大吉大利，就像大地一樣，那麼平靜。

「象曰：地勢坤，君子以厚德載物。」

這裏明白的說明，坤卦的現象如大地一樣，大地是坤卦，要懂得坤卦這個符號是大地的代表，講人文文化，做人要效法大地一樣，修養自己的學問道德，要效法大地之厚，尤其當領袖的人要包容，要能負擔，別人的痛苦都能承擔起來，「厚德載物」是中國文化儒家道家最高的學問。

研究易經，應該發揮每人自己的智慧，做學問是很難的，我今日認爲對的意見，到明天有了新的發現，說不定又把頭一天自己的意見推翻了，所以我所講的，祇是提供大家做一個參考，告訴大家一個研究易經的方法而已，千萬不要過分相信，有時候連對古人都要懷疑，可是懷疑歸懷疑，印證又是另一回事，不可因有一點懷疑，就作全盤的推翻，這就太狂妄了。

現在講坤卦的爻辭。

邵康節的寶瓶子

「初六，履霜堅冰至。象曰：履霜堅冰，陰始凝也，馴致其道，至堅冰也。」

這裏就和乾卦不同了，我們過去的天文科學，是用十二辟卦來代表十二個月，十二辟卦是乾坤兩卦的變化，坤卦是十月，爲純陰之卦，坤卦是在上古，也許更上古形成的。我始終懷疑易經的文化是上一個冰河時期留下來的，不是這一個冰河時期的產物，因爲它的科學、哲學的道理太高明了。我們知道了坤卦是代表十月，在一年二十四節氣中，有一個霜降節氣，這時候夜間會結霜，當早上打開大門，踏到地下有霜的時候，就知道天氣要冷了，該準備冬衣過冬了，跟著下來是立冬、小雪、大雪，天要下雪了，黃河要結冰了，履霜堅冰告訴我們，如果講哲學，一個學過易經的人，就會知道前因後果。一件事情一做的時候，一定曉得後果，對這件事結論如何？自己的智慧應該知道，因爲履霜堅冰至，任何事情都有它的前因和後果，那麼象辭的解釋，引用爻辭的履霜堅冰，是冬天陰氣開始凝結起來，開始是前因，至於後果，則「馴致其道，至堅冰也。」順着這個時間下去，就天寒地凍，地下要結冰的。如果卜卦，得到坤卦初爻，就知道以後還更艱難，但是假如作戰，在北方碰到這情形，就知黃河要結冰了，不需幾天就可渡河而過。在抗戰期間，我們國運昌隆，連續八年黃河沒有結冰，假使結了冰，的確有問題，日本人的馬隊一下子就過來了，日本人一直在等這個機會，可是上天保佑，抗戰八年中黃河就沒有結過冰，舉這個例子，就是說明同一個卦，看情形如何？可有利亦可不利，運用之妙存乎一心，不要迷信，這是智慧的事情，全靠心靈偶然的判斷，如果加上主觀就不行了。以前有位善卜的人，占卜到他自己的一隻寶瓶在某月某日正午時會破碎得四分五裂，他就不信，在這一天把這隻寶瓶，安安穩穩放在桌子中間，自己則坐在桌旁守着，看這隻寶瓶如何破法，到了中午他的太太把飯做好了，叫他吃飯，叫了幾次，他都不理，太太見他不聲不響不動，老盯着一個瓶子發呆，就故意開玩笑，欲驚醒他，拿了一條雞毛撣子向瓶上一敲：「你看這寶瓶幹什麼？」一不小心把這寶瓶敲破了，於是他哦了一聲，悟了，悟了什麼？忘記把自己算進去，就是沒有把主觀算進去，這是關於算卦的有名故事，但這故事中含有很高深的哲理，人處理任何事情，往往不是忘記了自己，就是把自己看得太高，這是做人的修養、事情的處理要千萬注意的道理，所以懂易經的道理，就是懂做人的道理，因此可以知道儒家的孔孟思想，道家的老莊思想，都是從易經出來的，諸子百家也都是淵源於易經。

不習无不利

「六二，直方大，不習无不利。象曰：六二之動，直以方也，不習无不利，地道光也。

」

這句爻辭很難解釋了，現在有兩個觀念，坤卦是代表地，地面有三個情形，直、方、大，這是毫無疑問的，但這還不夠的，坤卦亦代表了月亮，剛才初爻的月亮，參同契說過在南方，是上弦月，而二爻這個時候的月亮，出來的時候，是直的上弦月，方是方位在南方，大是光大的，不習无不利，習字古人說像飛鳥形，上面兩個翅膀，下面的太陽，亦是一幅圖案畫，是練習的習，當初七、初八時的上弦月亮，在南方出來時候的直、方、大，用不着隨時看見是无不習，无不利是好的，因爲有一半的光明，不習不利在卜卦而言是好的，在修養而言又不同了，另有一種解釋，論語上孔子說：「性相近也，習相遠也。」性相近是人剛生下來的本性是近於道的，習是後來的教育與習慣，人加上了後天的環境教育，越加得多，本性就離道越遠，用這個觀念來看「不習无不利」這句書，就可以看通了，卽不加上後天的習氣，則大吉大利，是光明的。而象辭的解釋，六二爻的動爻，是正對南方的方位，不習无不利則是因爲「地道光也」，月亮已經出來了，大地是光明的現象。

无成有終的哲學

「六三，含章可貞，或從王事，无成有終。象曰：含章可貞，以時發也。或從王事，知光大也。」

如果我們了解月亮是坤卦，參同契上提到：「十五乾體就，盛滿甲東方。」月亮全滿，自東方出來，這時候是「含章」。含章有兩種說法，古人在文學上稱月亮和太陽有兩個名辭：就是金烏、玉兔。元曲乃至平劇中常有「玉兔升金烏墮」的句子，太陽爲金烏，玉兔爲月亮，神話的解釋，月亮中的黑影就是一個兔子，但古書上并不是說月亮裏有個兔子，而是黑影的形態勾出來像一隻兔子，太陽裏的黑點勾畫出來，則像一隻烏鴉一樣，所以名金烏。昆明的金馬、碧雞坊的那條街，每隔若干時間會發生一個現象，就是當太陽還沒有下去的時候，滿月已經出來了，站在這條街的中間，向一端看可以看到太陽，同一時間向另一端看，可以看到月亮，這是含章的第一個解釋。第二個解釋，我國古代對於月亮，和現代科學觀念一樣，認爲月亮本身不能發光，是吸收了太陽的眞光再放射出來的光明，所以說它裏面含章，章代表了光明和美麗。可貞是很正，六三爲陰爻，不算得其中，是內卦的高峰，所以含章可貞，有光明現象。以卜卦來說，「或從王事」如果一人爲前途而卜，這個人將來可能很有前途，事業很大，乃至輔導一個人創業，如韓信、張良輔導漢高祖千古留名，但是无成，自己本身不會成功的，雖然不會成功，可有結果。這到底是怎麼的說法？假如在中學裏作文，學生寫了這種句子，老師一定批他不通，又无成，又有終，多矛盾。如果我們知道坤卦是代表月亮，由這個譬喻去看人事，就會很清楚。等年紀大了看易經就更清楚，孔子的經驗，四十九歲再學易，加上許多人生經驗與知識，才能夠學通，像劉伯溫幫助朱元璋打下了天下，最後他被同事毒死了，這是无成，可是千古留名，有終，推開了這些不談，今日爲了國家民族，這八個字很可以拿來效法，要有「或從王事，无成有終」的精神，革命不一定要自己看到成功，成功不必在我，人生有兩條路，一條是現有的事功成就，一個是千秋的事業，像宋朝的三個大儒，朱熹、程頤、程灝等，官做得并不大，他們在學說上留名萬古，永遠有地位，反之，人若有房子、有鈔票財產，不見得是成功。由象辭的解釋，也可以了解：「含章可貞，以時發也。」爲什麼說他含章可貞，內在有光明呢？因爲得其時，月亮到了每個月的十五得時了，所以卜卦算命，時不對，時間不屬於自己，不要強做，或從王事，是了解月亮是靠太陽的反映而發光的。

括囊无咎

「六四，括囊，无咎，无譽。象曰：括囊无咎，愼不害也。」

在古書上時常看到歷史上的許多人，地位很高，諸如宰相、大臣，年紀大了，告老歸鄉以後，自稱「括囊无咎」，這并不是說括一批鈔票，自己口袋裏裝起來，不出毛病。中國有兩個字「囊」與「橐」，古代有口的布袋爲囊，中間向兩頭都開口的布袋，背在肩上的爲橐。括囊是口袋的口收緊，不是裝滿口袋，這是下半月二十三、四日的月亮，半個口袋，袋口收緊了，「无咎」不會出毛病，但是亦「无譽」，沒有人恭維，既不被人譭謗，亦得不到別人恭維，所以中國文化古代一般讀書人，講修養，講人生，自己做一輩子事業，最後退休了，晚年還鄉，檢討一下自己，沒有毛病，平安退回來了，往事不講，「英雄到老皆歸佛，宿將還山不論兵。」這個現象就是把自己嘴巴閉起來了——括囊，既无咎，亦无譽，那麼這樣括囊无咎，愼重到了極點，沒有害處。

黃裳元吉

「六五，黃裳，元吉。象曰：黃裳元吉，文在中也。」

所謂裳，古代的服裝，長袍是外罩，上面長過膝蓋的是衣，下面所穿，和西藏人一樣，穿裙子稱作裳，後來才變成褲，那是自北方來的，因爲北方天氣寒冷，穿裙不能保溫受不了。黃裳，裳是下半截，那麼每月的下半月，早晨起來看下弦月亮，是淡黃的，說的這是就這個現象，并不必要多加解釋，可是中國古書上的解釋多了，中央戊己土爲黃等等多得很，都有理由，都是了不起的解釋，但還是把它推開，還是從原書本身來解釋較妥當，乾卦九五爻時是好的，飛龍在天，利見大人，坤卦到了六五爻亦好得很，黃裳元吉，象辭的解釋，黃裳元吉，文在中也，是文字的光華現象。

物極則反

「上六，龍戰于野，其血玄黃。象曰：龍戰于野，其道窮也。」

乾卦六爻，都用龍來代表，坤卦都沒有用龍作代表，坤卦開始說卦的本身是用母馬作代表，接下來以大地的現象，在六爻中是說月亮的現象，但現在到了上六，最後一爻，引用到乾卦來了，把龍用進來了，我們知道坤卦是沒有綜卦的，而他的錯卦，六爻都是陽爻，其次陰極就陽生，這一爻要變了，坤卦到這裏非變不可，於是陽爻要進來了，而龍戰于野，一戰爭就要流血，流下的血為玄——青色，黃是黃的顏色，以天象來解釋非常通，不需要套用那麼多東西，祇要仔細觀察一下，每月二十八、九日，尤其早晨起來，天蒼蒼，野茫茫，有玄黃之色，如果確定易經是根據天象來談人事的，而去觀察天象自然界的現象，易經本身是很好解釋的，不必討論到那麼多東西，象辭解說龍戰于野，是說坤卦到極點，可引用「窮則變，變則通」這兩句話，戰爭對人類並不一定是一種禍害，也許是一種革新，因為窮則變，變則通。時代到了某一個情況非變不可，非革命不可，因為「其道窮也」，窮則要求變，變的時候自然有龍戰于野之象，這是一定的。

用六永貞

「用六，利永貞。象曰：用六永貞，以大終也。」

這是講整個坤卦，要注意的，六十四卦，祇有乾卦講到用九和這裏坤卦的用六，其它六十二卦，都沒有「用九」、「用六」的，所謂用六，亦是和乾卦解釋用九一樣，就是不被六用，用全體的卦，而本身并不加入在某一爻裏，這就高了，大吉大利，永遠是好的，象辭解釋，用六能永貞，是因爲有偉大的結果。

這裏講完了坤的爻辭，再提起請大家注意的，我研究易經的方法，是不管各家的註解，尤其周易集註的註解是不能看的，這是朱熹當年，集攏各家的註解而成的，以便利於初學者的參考，不幸把許多錯誤的註解亦用進來了，這一本是明朝國子監的藍本，等於現在國立大學的課本，有多地方不能看，我們現在是以天象的觀察來研究易經，這是較原始的路子，比較正確的，但是今天我們若回轉來研究自己傳統文化的天文學，又是要新開路子了，現在國內能懂得中國自己原始的天文學，而把現代西方天文學同時合併治理的人，已不多見了。

婦唱夫隨　陰陽顛倒

「文言曰：坤，至柔而動也剛，至靜而德方，後得主而有常，含萬物而化光，坤道其順乎？承天而時行。」

現在所要談的是思想問題，講孔子的文言，文言很重要，研究中國文化，儒家的孔孟思想，道家的老莊思想，都從易經的原理來，現在推開了每卦的卦辭爻辭，祇看文言，所謂文言，就是以文化的觀念研究易經。這裏孔子提出來坤卦的德性是：坤是純陰卦，是至柔的，至柔是坤卦的體，如果動起來就很剛强，老子引用了這個觀念，所以他說「柔能克剛」。世界上最柔的是水，水是沒有骨頭的，再加熱就乾了、化了，連影子都沒有了，所以說水是天下之至柔，但却能克天下之至剛，就是不管多厚的鋼板，在不斷的滴水之下，最後亦必被水滴得穿洞，又如工業用的「水刀」，把水加速也眞的把鋼板切開了。所以儒家、道家都教人不要過剛，過剛易折，一個人太剛强了，容易折斷，所以坤卦的本身是至柔，不動則已，一動就是剛，像練太極拳，在練的時候，慢慢摸，非常柔，但是到了用的時候，就非常快，非常剛。「至靜而德方」，坤卦是至靜的，但并不是死寂的，沒有骨頭的，外圓內方的，內在永遠是方正的，一個人假使把自己的精神、人格、修養做好了，自然是外圓內方，形成了至靜而德方，還加一個條件「後得主而有常，含萬物而化光。」就是月亮的道理，有一定的常軌，有如大地，包容一切而化成光明，這是說人的修養，是什麼人才應有如此的修養？乾卦是君道，是領導人的修養；坤卦則是臣道，爲一人之下的人的修養，小則里長行君道，里幹事就行臣道，這就「坤道其順乎，承天而時行。」要柔順，要承上啟下，承天，承乾卦的功能而行，這就教我們做人，要站在坤道的立場，坤道是臣道，又是妻道，所以中國講婦女的德性，是夫唱婦隨，但現代相反了，乾坤顚倒，要婦唱夫隨，我們知道儒家思想、道家思想都從這個理由來的。

現在繼續講坤卦的文言：

孔老夫子的因果觀

「積善之家，必有餘慶；積不善之家，必有餘殃。」

這四句話是中國文化的原則，大家要特別注意的，我們中國文化，東方文化，最喜歡講因果報應，如果過去沒有研究過易經，便會以爲這是來自印度的，佛家思想，事實上中國、印度、東方文化都建立在因果報應基礎上，由此我們了解，中國過去五千年文化思想的教育、政治、道德等的基礎，都是建立在因果基礎上，所以大家都怕不好的報應，乃至做官的人，要爲子孫培養後福，都是怕因果，不過因果的問題是宗教哲學的大問題，要研究起來亦是很好的一本書，一篇很好的博士學位的論文。佛家的因果，是講本身的三世，即前生、現在及後世。中國儒家的因果講祖宗、本身、子孫三代，就是根據易經這裏來的，這亦是一個歷史哲學，尤其這幾句話，我們都曉得用，知道是孔子的話，這是中國文化幾千年來不變的，現在當然社會道德已發生了變動，但是據我個人仔細觀察研究，我們中國人年輕一代儘管怎麼個變，這個觀念還是有，這是我們民族血統中的觀念。

我們要注意「餘慶」、「餘殃」的「餘」字，餘是賸下來的，餘是有變化的，并不是一定報在本身，這是中國人對因果報應的看法，中國文化一切也都建立在這因果報應上。由此看來，劉備在臨死的時候，吩咐他兒子兩句話：「毋以善小而不爲，毋以惡小而爲之。」以劉備這樣一位梟雄，對自己的兒子作這樣的教育，都是從中國舊文化來的觀念，我們看歷史傳記，常常提到某某人的上代，做了如何如何的好事，所以某某人有此好結果。將來中西文化匯合以後如何演變？還不知道，不過據我所知，最近美國對宗教的觀念，自哈佛大學開始已經有了轉變，主張宗教不能分家，提出「宗教一家」的口號。其次，美國的一般學者、知識青年，也非常相信三世因果，所以中國人的家庭教育要注意，尤其現在爲父母的人，教育下一代，爲了國家民族文化，這個觀念還是絕對不可忽視的。

下面孔子對於這個觀念作了演繹，從此，亦可以知道孔子爲什麼作春秋，寫歷史？歷史的法則就在這裏。

「臣弒其君，子弒其父，非一朝一夕之故，其所由來者漸矣！由辯之不早辯也。易曰：履霜堅冰至，蓋言順也。」

春秋戰國的時候，孔子看到當時社會那麼亂？不忠不孝不仁不義的人那麼多，所以提倡孝、提倡仁。社會文化，就像人吃藥一樣，那一種病流行，就倡用醫那一種病的藥，假如這兩天感冒流行，藥店的感冒藥就賣得多。大學裏開課，社會需要什麼人才，學校就開什麼課程，教育就是這麼個道理，所以我們看了四書五經很傷感，可見中國這個民族，可怕的一面是不孝、不仁、不義的太多，所以孔子提倡仁呀！義呀！孝呀！幾千年來，我們看到幾個眞孝、眞仁、眞義的人？孔子這裏就講出了這另一面：「臣殺其君」部下叛變幹了老闆的，「子弒其父」兒子殺父親的，春秋戰國這種例子太多了，尤其是利害之間，兄弟姊妹之間，都是殺、搶什麼的。「非一朝一夕之故」不是突變來的，一個社會文化的演變也是其來有自的。「其所由來者漸矣」！是漸進的，如同易經的法則，一爻一爻，慢慢變來的。根據孔子這個道理，看我們近六十多年的歷史肇因，可推到近百年以前，或遠推到滿清中葉，從十九世紀開始，我們的社會一步一步演變到今天，對於今天的這個社會現象，許多人看不慣，很難過，我覺得沒有什麼？這都是漸漸來的，不要怕，有時一個變動就變好了。「其道窮也」現在已經差不多到這地步了，非回頭不可。「由辨不早辨也」，這是辯論的辯，亦是辨論的辨，在家庭教育來講，就是對一個孩子變壞，沒有早看清楚；以歷史來講，就是不好好領導，不早辨別清楚，所以發生動亂，這亦是講歷史哲學，亦是社會史，亦是文化發展史，譬如中國文化，爲什麼發展到現在，一直要提倡自然科學。「其所由來者漸矣」，也是慢慢變來的，不要以爲現在這個科學時代已到了頂點，但還是要變的，當然還有更新的科學時代出來。易曰：「履霜堅冰至，蓋言順也。」這就解釋引用初六爻的話說，學了易經，腳踏在地上發現降霜了，就知道冷天快要來了。到了春天，立春以後，氣侯一暖，夏天的衣服要準備拿出來了，都有前因後果，這是中國文化主要的精神所在。

直內方外　四海一家

「直其正也，方其義也；君子敬以直內，義以方外；敬義立而德不孤，直方大，不習无不利，則不疑其所行也。」

這是孔子儒家的思想，把易經天文的法則拿來講人事，做人修養的道理。所謂直就代表正，方代表義。中國人看相，以這個原則亦鑾通的，說人的臉型，長的主仁，方的主義。「君子敬以直內」，內心修養絕對公正，自己內心得直，沒有彎曲，不在肚子裏耍鬼。「義以方外」，對外面，對人對事，一言爲定，到處合宜，言而有信，規規矩矩，所以「敬義立而德不孤」，不要怕寂寞，不要怕倒楣，自然有自己的道理。「直方大，不習无不利。」孔子用這兩句話解釋這句爻辭，一個人祇要有直、方、大三個字，公正、義氣、仁愛，內方外圓，胸襟偉大，像大地一樣，包涵一切，「則不疑其所行也」，天下人同心一德了。

擡轎子

「陰雖有美含之，以從王事，弗敢成也；地道也，妻道也，臣道也，地道无成而代有終也。」

講到第三爻含章可貞，剛才我的解釋，也是根據孔子這個觀念來的。第三爻講含章可貞，「陰」就是太陰，月亮，「雖有美含之」，月亮的光明很美麗，人文方面「以從王事」就是臣道，爲人臣的「弗敢成也」，成功不必在我，眞正的大臣要做到「成功不在我」，這是臣道，是地道，是天地的法則，譬如擡轎子，也要好好擡，否則坐轎的倒卜來，把擡轎的亦壓倒，坐轎的人亦要坐好，坐轎的翻起筋斗來，擡轎的也擡不好了，所以在什麼地位，就幹什麼事，這是大地的法則。「妻道也」等於當太太的，一定要管到丈夫，讓丈夫都聽話，這太太做得就太沒有味道了，做太太聽丈夫的才有味道。「地道無成而代有終也」，地道本身無成，但是不要以爲本身無成就沒有結果，成功不必在我，別人的成功，亦即是自己的成功。讀歷史大家都知道，歷史上成功的人物，所有幫忙的、幫閒的亦都留名了，老實說，如果旁邊幫忙幫閒的人來幹，恐怕成不了功，大家亦沒有名了，都淘汰下去了，所以要找一個人坐轎子，慢慢擡他，纔有意思的，擡到最後大家都成功了。

謹言慎行

「天地變化，草木蕃，天地閉，賢人隱，易曰：括囊无咎无譽，蓋言謹也。」

這是第四爻的解釋，宋朝的理學家們拚命說孔子是反對道家，反對隱士，我認爲孔子不但不反對，而且還很贊成隱士，在論語上我們可以找到許多證據，在這裏更可以看出來孔子這裏說：「天地變化，草木蕃。」春天到了，氣候調和，時運來了，草木都欣欣向榮，秋天來了，天地閉塞，萬物凋零，那麼，賢人、達人、君子碰到這樣的時代，看看不對了，沒有辦法了，挽不回了，祇好退下來，於是隱了，所以第四爻的爻辭「括囊无咎无譽」，自己把自己收起來，放在口袋裏，就是黃石公的素書第二章最後的那句話：「沒身而已。」的意思，時代不屬於自己，機會不是自己的，自己一蹓，同草木一樣，大家都是如此，變成泥巴，到這個時候就是「括囊」，儘管一肚子學問，收起來放進口袋裏，把袋口一收緊，「无咎无譽」與世無干，爲什麼這樣？講話小心一點，古人的詩：「美人絕色原妖物，亂世多財是禍胎。」世界人闖的禍胎都在這兩個字上——財、色，歷史上批評人，總不外這兩個字。但是亂世多「才」亦是禍根，那就要「括囊」，不然則趕緊找個老闆擡擡轎子，不要亂闖，亂闖對社會國家都沒有貢獻的。

黃中通理——至高的人生境界

「君子黃中通理，正位居體，美在其中，而暢於四支，發於事業，美之至也。」

對六五爻的解釋，這是後來的中庸思想，我曾經說過，大學思想出在乾卦，中庸思想就出在這裏，這是我的專利。「黃中通理，正位居體。」這就是中庸之道，中庸第一章說：「致中和，天地位焉，萬物育焉。」亦就是孟子所說的養氣，「吾善養吾浩然之氣……至大至剛，以直養而無害，充塞於天地之間。」就是這裏來的，中國道家講修道，欲修成神仙，必須打通任督二脈，要打通任督二脉，就先要「黃中通理」。這個「黃中」，抽象的是天地之中，具體的是人的內臟腸胃等一切都好，黃是中央的顏色，「理」不是道理的理，是中國醫學上的「腠理」，就是皮膚毛孔，功夫做到了，修養夠了的人，內部通了，外部亦通了，每個毛孔都通了，這個時候就是所謂天人合一的境界，到達身體來了，面上都有光彩，這時眞美，充滿了四肢，全身都暢通了，那麼「內聖外王」，內在有了這樣高的修養，如果有機會，發到外面，發於事業，就內外合一，天人合一，美麗極了。

嫌於無陽

「陰凝於陽必戰，為其嫌於无陽也，故稱龍焉；猶未離其類也，故稱血焉；夫玄黃者，天地之雜也，天玄而地黃。」

上六爻的解釋，用的是倒裝文法，分析注解。坤卦是陰，爲什麼到了上爻是「龍戰于野」？陰極於陽必戰，等於一群女孩漂流到一個孤島，幾年不見男人，見到一個男人必搶，而戰有爭鬥之象，因爲坤卦一點陽都沒有，到了第六爻陰極陽生，陽要來了，於是這時就戰了，陰陽交戰，所以稱龍，龍是看不見的東西，隱隱約約來了，隱現變化無常，猶未離其類，因坤與乾是天地同類，所以亦稱血，是血脉相承，天玄地黃，是指天地的顏色，交雜起來了。

屯卦

今日講屯卦，屯卦是一個很好的卦，爲艱難困苦中建立新氣象的卦，同我們目前的國運正相關。

研究這個卦，亦使大家可以知道研究周易是怎樣的方法。前面講乾卦、坤卦，對於研究的方法，還是不大清楚。現在講屯卦、蒙卦以後，對其他的卦就會比較容易——對於周易本身的研究。

我們可以看出中國文化之祖的這部易經，不必要擺出一分神祕的面孔，但亦不可以輕視它。易經原始是一本卜卦的書，後來加上文王、周公、孔子等等的演進，把卜卦的作用，變成文化的道理。

屯的卦義

屯卦就是水雷屯，當研究一個卦的時候，就要會畫這個卦，屯卦爲水雷——䷂屯，上面一個坎——☵卦，下面是震——☳卦，上下卦亦可說是內外卦，內（下）卦是震卦，代表雷電，有雷鳴震動的現象，外（上）卦爲坎，代表水，看到這個卦，就如一幅圖案，假想是一個大海，在大海裡面有雷電的震動，這種現象，表示一個巨大的力量在醞釀變動，震動這就是屯卦的現象，我們研究卦，就先要瞭解卦的現象。其次卦名是屯卦，屯卦的上卦爲坎，代表水，下卦是震卦，代表雷，水雷是屯，我們都知道「屯積居奇」這句成語，「屯」就是把貨物存儲在那裡，古時倉庫就叫「屯」。如三國演義中的記載，江東孫吳當時的經濟——古代歷史有一個大缺點，經濟方面的事，根本不寫，像作戰時的經費從那裏來？歷史上從來不談，祇有很少數的偶爾談到。——非常困乏，正好遇到好人魯肅家裏很有錢，他就說經濟方面并不困難，「魯指屯」，魯肅指著屯說，你們到我家裏拿好了，我倉庫的東西都可搬去，就靠這一個幫忙，東吳政權的經濟就建立起來了。這說明屯卦是倉庫的代表，事實上古代的屯字是「屯」，其一橫代表一劃開天地，其一直一勾，是象草，草在地下生根而地面上祇長出一點點，春天到了，冬天枯了的草，在地下生根，剛剛萌芽，這就是屯的現象。

現在我們先了解了屯卦的這些觀念和意義，這是初步的了解，不要對他作太高深處看，但也不可把它看得太浮淺了。世界上最高深的學問都是平淡的，由平淡中可以找出眞東西來，上面我們已經把屯卦平淡方面的意思解釋了，現在再看它的卦文：

「屯、元亨、利貞；勿用、有攸往，利建侯。」

屯是一句，是卦名，「元亨，利貞。」這是說卦德，這四個字代表了屯卦的卦德，以現代的觀念說，這個卦的性能，包括了四個大的因素，這四個性能都是好的，元亨利貞，在乾卦裏用過，在其它的卦裏，不一定全用到這四個字，這四個方面，屯卦都占全了，這四個字的解釋，在乾卦裏面我們已經說過，在這裏不再重複了，但要注意的是，乾卦的「元、亨、利、貞。」是乾卦的代表，到了坤卦的利貞，還有附帶條件，是利牝馬之貞，那麼這個屯卦又怎麼可以和乾卦——宇宙的根源一樣，並駕齊驅，等量齊觀呢？屯何以會具備了元亨利貞這樣好的因素呢？我們就要追問了，於是發現屯卦是由乾卦變出來的，所以有這個性質，才有這個功能，等於中國人的古話說：龍生龍，鳳生鳳，老鼠生兒打地洞，事情是有來源的。屯卦一定是由乾卦變來的，那麼看乾卦，乾卦的六爻是完整的陽爻，從乾到屯卦的演變過程，是外卦兩爻在變，內卦亦是兩爻在變，內部外表都在變，如一枚橘子內部開始在腐爛了，或者一粒種籽裏面開始在生芽了，這是內部的變，外卦中心不動，可是外面的環境，上下都在變，需要變，不得不變，等於一件事情，內在必須要變，不變不能生存，外在的環境要變，可是中心不變，我們要從這一方面來看屯卦，就知道和乾卦有關係。

我們如心有所疑，不能決定，求之於鬼神，求之於人都解決不了，祇好求之於卦的時候，這個屯卦的卦象，在周文王的判斷是「勿用，有攸往，利建侯。」這一個解釋，問題在「勿用」兩個字，前面乾卦中曾經講到「勿用」兩個字，幷不是不可用、不能用、不應該用，不是絕對的否定，是很活動的不要用，暫時擺在這裏，是有作用而不要去用，如個人的事業，有一個機會，可是不必去打主意，如果主動去打主意，反而要出毛病的，等這機會自動的來到時再動，但是「有攸往」有所往，有一條路在前面，有很好的光明遠景，最有利於建立諸侯。「利建侯」是中國古代文化，中國古代的建侯，就是地方封建，建立諸侯去創業，假使做生意，將來可以變成大生意，創出事業，乃至擴大範圍，設立分公司，這是文王對屯卦的解釋。

屯卦的創業精神

「彖曰：屯、剛柔始交而難生；動乎險中、大亨貞；雷雨之動滿盈；天造草昧，宜建侯而不寧。」

這是孔子對屯卦的研究，都是好話，假使做事業問運氣，好運來了，這裏有一個哲學，天下的事情，當好事來的時候，都有困難，不經過困難而成功的，絕對不是好事，輕易得到的，很快就會失去，這就告訴我們一件眞正成功的事業，沒有不是經過困難來的，看孔子講「彖曰：屯、剛柔始交而難生。」這個屯卦是剛柔始交之象，剛與柔是絕對相反的，是矛盾的，這內卦震爲雷，雷電是陽剛之氣，坎卦爲水，是柔，一剛一柔，正在矛盾相交，雖然矛盾，但矛盾中往往產生新的東西，這是必然的法則，所以剛柔兩個剛剛開始交，等於男女談戀愛，在開始交往的時候，中間有很多的困難，或者一件事業，交一個朋友，個性不同，當中會有極大的困難，透過「剛柔始交而難生」這句話，可以了解很多做人做事的道理，一件好事的產生，幷不那麼簡單，大而言之，一個好的歷史局面的完成，很不簡單，譬如革命的完全成功，亦就「剛柔始交而難生」，眞不知道要經過多少艱難困苦。

為什麼孔子如此說，他繼作解釋：「動乎險中」，這個卦的動爻，動得很險，如果講革命這真是一個革命的卦了，因爲在新開創一個事業，動起來是動在危險的當中，象上來看，如在海底，要用力衝上來，衝破上面巨大的壓力，是十分困難的，但是人沒有危險在前面，是不會努力的，有困難，有危險，則反而促成人努力爭取成功，動乎險中，才會加倍努力，亦特別謹愼小心，大意了一定出毛病，所以文王解釋這個卦是大亨，大吉大利，但是要貞，要堅定的走正路，在危險當中動，走歪路就不對了。

這個卦代表的現象是在大雷雨中，下面在打雷，雷上在下大雨，在高山頂或在飛機上可以看到，下面是一大片烏雲，正在下雨，而烏雲的下面閃光，就是雷電，就是屯卦的現象，雷雨之動滿盈，滿山滿野，滿坑滿谷，都是水，這代表了地球人類歷史的開創，如大禹治水以前，開天闢地的時候，到處都是荒蕪，沒有文明，昏天黑地，因爲這樣沒有開創的基業，欲開創，宜於建侯，但永遠不寧，這就更了解了一個人生哲學，一個人不管在那裏做事業，欲想成功，永遠是不寧的，欲享福而事業成功，這是不可能的，如果想有所建立，那是永遠不能安寧的。人都想功名富貴、想成功，又想留萬世之名，又最好不要勞累，這是辦不到的。祇有蘇東坡這位絕頂聰明的人，有過這樣的妄想，他因爲自己太聰明了，一生在政治上都遭遇到挫抑，所以作了一首詩：「人人都說聰明好，我被聰明誤一生，但願生兒蠢如豕，無災無難到公卿。」他前面三句講得蠻有道理，最後一句又吃虧了，又太聰明了，天下那有這種事情？有一個故事，一個人一生做好事，死後閻王判他還是到世間做人，可是投胎做人時要成為怎樣一個人呢？閻王讓他自己決定，於是他說他祇希望：「千畝良田丘丘水，十房妻妾個個美，父為宰相子封侯，我在堂前翹起腿。」閻王聽了以後，站起來說：「老兄！世間如有這種事，你做閻王我做你。」由這個故事，再看易經，就了解人生，凡有所建立，一生永遠都在勞累，「宜建侯而不寧」，這就是開創事業的現象。

「象曰：雲雷，屯，君子以經綸。」

象辭，說☵☳屯卦這個圖案畫的現象，代表雲、雷，屯。可以請畫家畫一幅很好的屯卦的現象，但要注意，屯卦明明白白是水雷屯，為什麼到了象辭裏，硬改成「雲」雷屯？因為雲裡有水，而坎卦的性質是水，而代表有大的力量，這種現象，則「君子以經綸」，君子是儒家對於一個有道德、學問、志氣、修養等等的人的稱呼，所以一個這樣的君子，就不怕昏天黑地，四顧茫茫的環境，要打破天地所給壓迫的環境，打破人事所給壓迫的環境，自己要幹出來，這是人為的現象，所以人要效法這種精神去經綸，「經綸」一辭是從易經這裏來的，包括了經營、創業、管理許多意義，如織布一樣，直的絲為經，橫的絲為綸，亦即縱橫，所以象辭告訴我們，看了屯卦的卦象，就要效法它的精神，如何直的、橫的，乃至於圓周的，四面八方去創業經營。

卦辭、彖辭、象辭都容易解釋，如再詳細發揮，各人的說法就不同了，古人的說法也不一定都了不起，古人對易經著了那麼許多書，各家有各家的說法，不能說那一家對或不對，我亦有我的說法，大家以自己的學識修養，亦可以寫一本自己的看法，乃至就屯卦的彖辭或象辭，就可以寫一本很好的創業哲學的書，以開創事業來解釋易經屯卦，做生意的人亦可根據屯卦的道理，寫一部關於工商管理的易經著作，行政管理，報業管理都可以寫，寫下來就是易經的解釋，就是這麼回事？看多了哈哈一笑，反正你說你的，我說我的。

下面爻辭，乍看頗爲討厭，可是前面我們研究了學易的方法後，知道易經並不是那麼的艱澀和難懂，介紹給大家方法，以後照著去研究，差不多在這一套法則上，都可以走得通的。

站穩腳跟　待機而動

「初九，磐桓，利居貞，利建侯。象曰：雖磐桓，志行正也；以貴下賤，大得民也。」

屯卦的第一爻，爲陽爻，假如卜卦這一爻是動爻，又假如卜卦的目的是問爲了創一個事業，那麼他是磐桓，利居貞，利建侯，亦都不錯，做生意將來一定發財。再看下去，象辭，孔子看這個卦所說的，這是一個新的政治局面開創的大卦，看文字就懂了。現在再加以進一步研究，什麼叫磐桓？現在的文字，一句或幾句合起來是一個思想，古代的文字，一個字代表了好幾個觀念。磐是大石頭，桓是草木，這個現象，是一塊大石頭壓在土地上，這土地就不能利用了，但土地的草木怎麼辦？從石頭的旁邊長出來了。桓則是草木虬結的現象，這樣的草木從壓着的大石旁長出，就是磐桓的現象。後來在文學上，描述老朋友見面，陪着玩幾天，就說「磐桓幾日」，就是表示友情虬結不清，逗留一番，在這裏是說初九這一個陽爻，代表生命的生發之根在下面，上面雖有那麼多陰爻像大石頭一樣壓在上面，可是這個要生發的根，永遠是壓不住的，終於要磐桓出來，這種現象是好事情，可是需要時間，需要等待，不可急。利居貞的居，就代表站穩在那裏，慢慢地等待，很正的等待，不能動歪腦筋，不能走邪路，等到石頭外面的草木成林了，變成觀光石頭，可以供遊人野餐了。更大一點可以利用了，所以孔子說，雖然是虬結不清，但以整個卦象來講，中心思想是純正的，行爲是純正的，那便沒有問題，不正就成問題了。但是如果這個卦象，以人生政治的道理來講，以貴下賤，這是很難做到的，中國歷史上做領導人的有四個字「禮賢下士」，對人有禮而謙下，向不如己的人請教，就自然得到群衆的擁護，自然得到老百姓的擁護，大得民心。何以叫「以貴下賤」，在繫傳裏講過，陽卦多陰，陰卦多陽，這個屯卦，是陰爻多，陽爻少，祇有兩爻，物以稀爲貴，而這個時候，最怕傲慢，所以說建侯的事業，革命的事業，要以貴下賤，便大得民也，這是孔子的象辭，對文王爻辭所作更進一步的解釋。

屯如　邅如　前程茫茫

「六二，屯如，邅如，乘馬班如；匪寇婚媾，女子貞不字，十年乃字。象曰：六二之難，乘剛也，十年乃字，反常也。」

這些文字更難解釋了，不曉得說些什麼？小時讀易經，遇到這些地方，簡直想把它燒掉，照文字表面看，「屯如」——屯就屯，下面放個如字幹什麼？「邅如」——在抖動？「乘馬班如」——騎了一匹斑馬？「匪寇」——土匪來搶了？「婚媾」——土匪來搶親？「女子貞不字」——這個被搶走的女人硬不答應他？「十年乃字」——等過了十年，總算被他感動了，嫁給他了？這是一部強盜搶婚小說了，這些到底是什麼鬼話？而且根據什麼來說的？又不是在城隍廟前摸骨：「先生命好，長的是猴骨。」花了兩百元還被罵成猴子。我們再看孔子怎麼說法？「象曰，六二之難，乘剛也。」六二這爻是有困難的，在困難中成功。「十年乃字，反常也。」十年嫁人是反常，這也不通，以現代的情形來說，大學裏的女同學，一排一排的坐在那裏讀博士，還沒有嫁人，如果照易經這裏說來是「反常也」，那麼正常的該幾時出嫁？照過去在大陸看到女孩子十四歲就出嫁，男孩子十六歲就結婚，是平常的事，難道二十五歲不嫁就反常嗎？這是沒有標準的，那麼到底講些什麼？如果做國文老師，看到學生寫出這樣的文章，一定用紅筆批上「不通」兩字，是要給零分的。

現在我們研究易經的道理，慢慢看六二，屯卦的第二爻，這就要看整個卦的圖案了，第二爻的下面初爻是陽爻，上面是陰爻，在前面一排都是陰爻，或者勾畫一個圖畫，前面是成列的森林，後面陽爻是一部開山機，欲向前推動，在這情形之下，仔細一看，便發現文章寫得很好了。「屯如」，如是「像那個樣子」，是白話文中的「似的」意思。如「胖了一些似的」，「瘦了一些似的」等等。「屯如」就是「屯積在那裏似的」，「邅如」即「好像有一條很緜長的道路要我們去走似的」。「乘馬班如」，佛教中有大乘小乘之分，這個乘字在梵文中，原來是車的意思，西方譯成英文就是車字，一點味道都沒有，工具改了，將來豈不要譯成大飛機、小飛機？還是中國人高明，譯成乘字，乘車、乘船、乘馬、乘飛機、乘太空船都可以，是人乘着交通工具，於是把眞正的意義表達出來了，這裏說乘馬，爲什麼說乘馬，不說乘車或乘牛，在說卦傳中，說震卦爲雷的符號，而在動物中，震亦是馬的符號，屯卦的內卦爲震卦，所以進一步到了第二爻爲乘馬，孔子亦在象辭中解說「乘剛也」，因爲在下面初爻爲陽爻的力量在推動，陽爲剛，是乘馬。至於「班如」這兩個字就討厭了，看了古人好多家的解釋，改成斑點的斑，說了很多，非常嚕囌，其實班如就是班如，前面一排陰爻，就和站班似的，又何必亂加解釋？所以我常常感嘆，有人做學問一輩子，變成書呆子，書呆子者廢物之別名也。實際上這種古書，祇要研究他本身的文字，不必多加註解，千萬不要改爲斑點的斑而成爲斑馬，我們中國古時是沒有斑馬的，不要搞錯了。「匪寇、婚媾」，又那裏來的一個土匪？而且還要搶親？照古人的解釋多得很，越解釋越糊塗，要變成神經病的，我們在本卦上看，易經明明告訴了我們，幷不需要我們去作那麼多的解釋，從本卦上看，祇要把陰陽的道理抓住，知道它是一種影射的，象徵性的比方，就知道匪寇的來歷，因爲初九以後，都是陰爻，到了第五爻有不正之象，爲什麼說婚媾，因爲交互卦的內卦，變成了坤卦，坤者純陰屬女，乾卦屬男的，這個圖案上就看到，在半路上第五爻跑出一個小人要搶婚，坤卦代表女子，這個卦本來是兩個男人，在很多女性的中間，其中一個看到女子就搶，可是這個女子本性堅貞，因爲坤卦本身雖然是陰性，但至中至正，所以不字，這個字，在古代的易經，不是「字」而是「孕」，我看了很多古代的易經，認爲「不字」應該是「不孕」，後來印錯了，便將錯就錯成了貞不字，字是解作出嫁的意思，如眞研究古禮的話，字的意思幷不是出嫁，而是定婚爲字，所謂男娶女婚，婚才是出嫁，所以這裏該是貞不孕，十年乃孕，是十年之中不懷孕的現象，因爲這裏都是陰爻，中心沒有東西，所以用女人懷孕，另一個新生命產生的道理來說明，十年以後才懷孕，所以孔子說反常，孔子說反常是有一個道理的，不能說沒有道理，因爲孔子研究過，「六二之難」不要忘記研究這個卦的本身，人生步步有艱難，六二的艱難是乘剛也，後面有剛，等於在西門町，前面有六個女的像排班一樣在走路，後面有個太保在追，十年乃孕反常也。

推開字與不字的問題不說，祇講這一段文字就有很多的人生哲學，這又是另一個觀念，所以做學問要有自己的智慧，東方文化的教育，不是教人認識一件事情而已。西方現在講啓發教育是最新的教育，其實我們中國人幾千年來都是這一套啓發教育，古今中外都是一樣，都是啓發的，沒有教人把知識灌進去的，這裏就啓發自己有很多人生哲學的道理，譬如「屯如邅如」，每個人的人生都是這四個字，人生的起步都很難，誰能夠知道自己的人生前途？每個人生都是處境艱難，而前途茫茫，不知所以？「乘馬班如」，得意的時候，風雲際會，「匪寇、婚媾」，到處都會吃虧、上當、受騙，所以「女子貞不孕」，人要像女人守貞節一樣，自己要站得正，有時候一等待，十年不嫁人，所以孔子說六二之難乘剛也，要至剛、至中、至正，從這些可以看到另一面的東西。

以後的卦研究起來，都是很麻煩的。。

窮寇勿追　見機而作

「六三，即鹿无虞，惟入于林中，君子幾，不如舍，往吝。象曰：即鹿无虞，以從禽也，君子舍之，往吝，窮也。」

這個卦講到這裏又不同了，又像武俠小說了。先就字面上解釋，「即」是半虛半實的字，鹿是頭上有角的獸，這是大家都知道的，有些後來的易經，說這個字是山麓的麓，說是山腳下的一排森林，好多家都在爭論這個字。虞，是古代的官名，虞人是農林部的管理員，近似現代美國天然動物公園的園長，或農林畜牧廳長，這裏敍述的，等於一幅打獵的畫面，一隊獵人到了山邊有一排森林，我們中國武俠小說常寫道：「逢林不入，窮寇莫追。」追敵人追到樹林裏了，不要追進去，恐怕裏面有埋伏，這裏是說打獵到了山腳的樹林邊，沒有山林管理員帶路，不能追進去。「君子幾」，有知識的人，碰到這種情形，自己要有智慧，要機警了，不要硬闖，鑽進去了說不定要送命。「幾」像電氣開關，一進一退，要在一念之間下判斷，所以要「舍」，不要進去了。「往吝」，如果進去了，一定倒楣。據我的研究，還是「鹿」字對，誰教我們加一個「林」在上面？就是打獵，看到一隻鹿，拚命追到山邊一個樹林中鑽進去了，何必加上一個「林」字，自找麻煩。「卽」就是追趕，「卽鹿」就是追趕鹿，趕到一個地方，像部隊作戰一樣，地物地形一點都不熟，沒有嚮導，結果這一隻鹿鑽到樹林裏了，這個情況很不利，與其這樣，就應該知所警惕，不如放棄好。這就告訴我們，在人生中看到一個獵物，本來可以拿到的，可是祇差那麼一點點就拿不到，而這一機會眼看要跑掉了，情況又不明朗，如果還拚命去抓，不必用易經的道理，試想它的後果，不要周公、文王、孔子，也不必靠鬼神，一個稍有智慧的人就會知道，勉强的前進，後果便很難說了。吝就是慳吝，不是好現象，艱難困苦都來了。我們看這個卦象，前進是陰爻，黑暗的；退回來有陽爻，是光明，這就是孔子在乾卦中告訴我們的，人生最大的哲學，是在「存亡」「進退」「得失」這六個字，一個最高明的人，就是在這六個字上做得最適當，整個歷史的演進亦是在這六個字之間，該進的時候進，該退的時候退，如果在這些地方搞不清楚，就太沒有智慧，太不懂人生，亦太不懂做事了。照上面我們的觀念來看孔子的象辭，便完全通了。「卽鹿无虞，以從禽也」，就是打鹿沒有嚮導。「以從禽也」，飛的爲禽，走的爲獸，中國文字並不是呆板的，古文裏「禽」與「擒」有時候固然通用，但古人硬把這裏的「禽」字解釋爲「擒」的意義，在此並不十分恰當的，禽就是禽。「以從禽也」讓他飛掉，不是很簡單嗎？又何必著書立說？硬討論一番，爲了這一個字，有幾百字的文章加以注解，可以拿博士學位，東抄西拉的，千古名言，由孔子說起，說到將來的世界，都抄上去了，這樣似乎教人不忍心不給他學位，但如果眞給了他學位，又覺得對不起上帝，因爲這些說法太不像話了，爲什麼不好好做人，去找這麼一個東西去分析，這也太可憐了，像這樣的著作太多了。

這裏我認爲「以從禽也」就是讓他飛了的意思，因爲孔子說過「鳥獸不可與同群」，欲高飛的讓他高飛，欲奔走的給他奔走，我是一個人，既不想高飛遠走，祇守住人的本位這麼做，這是孔子在論語上說過的，把那個觀念和這裏一配，就很平淡。「君子舍之，往吝窮也」，孔子說碰到這種情形，祇好放棄，勉強的前進，一定不好，結果弄到自己窮途末路，我們見到許多朋友做生意、做事業，往往因爲不信邪，非要奮鬥不可，其實沒有道理的硬闖不叫作奮鬥，最後「往吝」，發生困難，困難以後，還不回頭，遂造成了窮途末路。

風雲聚會　萬事隨心

「六四，乘馬班如，求婚媾，往吉，无不利。象曰：求而往，明也。」

六四爻到外卦來了，「乘馬班如」，已經解釋過了。「求婚媾、往吉，无不利。」這就是易經告訴我們，六爻是人生的六個階段，在某一階段遇到的現象要倒楣，在某一個環境裏會發了財。是得志？是倒楣？到了另一階段時，都有所改變而不同；如果到了天理、人情、國法都相合的情形下，便大吉大利了。乘馬班如這裏亦是騎馬，而且班如，後面還有一群人跟着，這樣的派頭去求婚，一定成功，沒有不好的，因爲到了這一爻，前面是陽爻，光明擺在前面，這個時候可不能退後了。那麼孔子在象辭中說，「求而往明也」，前面是陽爻，光明在望，陰陽相合，所以有婚姻在動的現象，這是解釋這一爻的好處，最好用男女結婚來比方，如果以人事來比方，便是與長官意志相投，就是這種現象，無往而不利。但也不要呆板的看成祇是結婚的現象，因爲陰陽的相合，最好的比方，就是人生男女的結合。

練達人情與食古不化

「九五，屯其膏，小貞吉，大貞凶。象曰：屯其膏，施未光也。」

這裏又是一個畫面，如作字面上講，「屯其膏」就是囤積原油。「小貞吉」不過發不了大財，稍稍賺一點。「大貞凶」囤積多了犯法。假如在街上擺一個卜卦攤，作這樣的解釋也通，但眞正研究易經，則不是這樣。膏是脂膏，屯，亦可以說是囤積，亦是草。屯卦本身就是草木萌芽的現象，草木到了第五爻，已經長大了，顯得又光滑又茁壯，但是還不是大成功，看易經要注意，凡大吉大利，一定有個貞字，要走正路，不走正路，終於要亡的！天地間沒有眞正的大吉利。六十四卦都要人走正路，擺得正，走得正，則樣樣好，偏差了終歸出毛病，所以小吉中間還要貞——正；但「大貞凶」，這裏問題又來了，難道大正就不對了？什麼都死死板板的很正，像學理學的人，在這個時代，還是言行呆呆板板，矯枉過正，幷不是好事，所以大貞則凶，亦就是說人生要通達，不通達就不對了，演什麼角色就是什麼角色，幹文化事業就是文化事業，做生意就是商人，不知道變則是大貞凶，所以象辭說：「屯其膏，施未光也。」是說第五爻的陽爻，在外卦的正中，前後都是陰爻，還露不出頭，等於點火的膏脂，還屯積在那裏，還沒有放出光明來。這亦是一個人生現象，好比上面被一個東西壓住了，自己的理想、計畫，不能實現，或如一個幕僚長，有很好的抱負，可是他的長官硬是說不通，亦祇好「屯其膏」了。

泣血漣如　不可長也

「上六，乘馬班如，泣血漣如。象曰：泣血漣如，何可長也！」

要注意的是，這個卦裏，有三次騎馬，而且騎馬都帶領了一批馬隊，闊氣得很，可是這次很慘了，哭了，不到傷心不淚流，一定碰到傷心的事情才哭了，哭到最後，眼淚都乾了，哭出血來了，而且是連緜不斷的「漣如」。我們研究一下，「乘馬班如」已經講過大家都懂了，那麼這個「血」從那裏來的？「坎爲血」，自坎卦來的，連着下面，連緜不斷的陰爻下來，這一爻到了卦的盡頭了，假使卜卦動爻在屯卦上六這一爻，任何事情都不能做，如果硬做，有痛哭流涕的現象，還要泣血，還要受傷，象辭說：「何可長也。」萬事不能成功，不能長久。

研究易經大概是這樣的方式。

這裏還有一個大問題：前面要大家背誦易經六十四卦的次序是：乾爲天，天風姤，天山遯的分宮卦象次序，一直到雷澤歸妹為止，可是周易的卦序，并沒有照分宮卦排列，為什麼作乾、坤、屯、蒙、需、訟、師、比、小畜、履、泰、否……，這樣的排列而以「未濟」一卦放在最後？這是什麼道理？到現在還沒有得到令人滿意的答案，看完了古今的著作，都各有一套理由解釋，仔細一看，但都不能滿意，孔老夫子在序卦傳裏，亦有他的一套解釋，我們對孔老夫子的解釋，很敬重，敬仰他解釋得對，但是我還是沒有同意，夫子是夫子，我還是我，因為理由不充足。我老實告訴大家，關於周易的次序，為什麼要這樣排列？古今人物的解釋，我都沒有同意，現在正在找他的原因，向各方面尋找，這是易經上的一個大問題呀！

對於周易卦序的排列，希望大家對於「上下經卦名次序歌」讀熟，更希望大家動腦筋找出他作如此排列的理由來。

蒙卦

屯卦的後面接着是蒙卦，這是怎麼來的呢？我們把水雷屯卦倒過來看，就變成了山水蒙卦，蒙卦是屯卦的綜卦，在開始的時候，卽曾要求大家特別注意，要懂得綜卦，易經告訴我們要客觀，天下事立場不同，觀點就兩樣，現象亦就變了，這是易經告訴我們大哲學的道理，近幾年有人用黑格爾的邏輯——正反合來講易經，我告訴他們不要鬧笑話，黑格爾的正反合，怎麼夠得上來談中國的易經呢？那不過是以三段來看事情，中國易經是八面玲瓏，看八方十面的，如屯、蒙兩卦，就已經一正一倒是兩段了，屯卦的錯卦，爲火風鼎卦，又是另一個現象，他的交互卦，是剝卦，又是一個現象，而且還可以再交互下去，所以要把這許多道理了解後，才可以研究易經八卦，如果連這些道理都馬虎過去，就沒有辦法來研究卦了，等於前面說的：「君子幾，不如舍。」還是聰明一點吧！不如退下來，不必再去研究了。

蒙卦在中國文化中，向來把他用在教育方面，現在小孩初入學是進托兒所，進幼稚園，以前則叫作「啓蒙」，亦叫作「發蒙」，小孩讀書的地方叫「蒙館」，就是由此來的，這個蒙卦是教育的卦，因爲根據易經的內容所說，教育上常常用到，還有司法上用到蒙卦，中國過去司法、刑法，都是屬於禮的範圍，中國人的司法，法律哲學的最高點，是在蒙卦裏，亦就是教育，而并不是擺殺人的威風，所以站在中國文化的立場，一個執法的人，判決一個人去服刑，在位的人都要感覺難過，認爲自己的教育工作做得不夠，是自己的責任，沒有完成教育的任務，才使他愚昧不懂而犯法，所以古代司法的道理，同教育連在一起，這些也都在蒙卦裏邊。

我們知道蒙卦是水雷屯卦的綜卦，水雷屯卦倒過來看就是山水蒙卦。任何一卦，從這面看了，亦要從那一面看，我們學了易經，對這一點要特別的注意，處理任何事情，對任何一個人，要多方面的看，不要太主觀，沒有那麼簡單的，對於相反的立場是怎樣？需要搞淸楚，正如屯卦，翻過來就成了蒙卦。

蒙卦的來源我們知道了，這個蒙卦，如果我們卜卦時卜到蒙卦好不好？卦辭說：

「蒙，亨，匪我求童蒙，童蒙求我；初筮告，再三瀆，瀆則不告。利貞。」

亨，是好的，以亨開始，下面最後有兩個「利貞」。乾坤兩卦，有四個性能：元、亨、利、貞都是好的，到蒙卦的時候，好的成分祇有三個了，而且是很痛苦的好。

由宗教而教化人生

這個卦辭，以現代觀念從字面上看，不知道它亂七八糟說了些什麼？大家對於易經的觀念，一種是很神聖的看法，一種是很討厭的看法，總之都不知道它說些什麼？現在我們要把握住一個原則，這是我們上古文化，人生不可知的那一面—任何一個人，無論智慧怎樣高，對於宇宙不可知的一面始終不懂，譬如說，我明天吃幾碗飯，我亦不知道？你亦不知道？我們希望知道未來究竟是怎麼一回事？於是古今中外，有許多方法。易經原來是研究卜卦，透過了這個方法而得到先知，的確有這回事，後來人文文化的發展，到周公、孔子以後，透過了這個卜卦的神祕色彩，加進去了人生哲學的道理，結果這兩樣東西分不清楚了，所以易經不像西方文化，老實說外國任何宗教，不管佛教、基督教、回教，他們的教主，並不跟人講道理，祇是教人盲目的信，中華文化的易經，也是從宗教的性質來的，後來卻要講道理，不盲目的信，因此這些加起來的東西，現在我們看起來頭痛，它說這個卦是好的，怎麼個好？在下面它把道理講給我們聽。

那麼他說，這個蒙卦的現象，不是我求童蒙——例如辦幼稚園，教育的性質，不是我為了學費，像拉生意一樣，把你家的小孩弄來，而是小孩來求我教育他。如果仔細研究這兩句話，看這個卦所表現的狀態就知道了，山水蒙，蒙卦上面是山，下面是水：早晨水蒸氣上來，一片大霧茫茫，前路看不見，如小孩子一樣，走在路上，找不到前途，想找一個老前輩問問路，指引迷津，於是把這個狀況，變成教育的目的，亦變成政治的目的，不是我去找他，而是對方來找我，但是有一個條件，像求神拜佛卜卦一樣，要很誠懇，最初來問的時候，就告訴了答案，如果告訴的答案不相信，又一次兩次三次再問，這就是褻瀆——開玩笑了，既然是開玩笑的態度，就不答覆了。透過這些話，就看出一個道理，人要至誠，對待人亦是一樣，當我們第一次很誠懇向人請教時，一定得到答覆，如果故意開玩笑的去問人，一定得相反的效果。所以宗教的精神也好，長官部下的相待也好，朋友相處也好，家庭相處也好，都應該是這種精神，所以中庸之道，講究誠。最後結論說這個卦是好的——利貞。可是這利貞是怎樣來的？是要最誠懇，不要開玩笑。當我們以謙虛的精神，像小孩子去找老師求教一樣的誠懇端莊，這就亨通、有利，這樣看起來，不必要卜卦了，以謙虛的精神、誠懇的態度去做人做事，又何必去求菩薩呢？所以易經是透過宗教的迷信性質，來告訴人生的道理。

中國文化的教育精神

這要有智慧，有險的地方要止步，不要再亂闖，如果還不信邪，不止步，祇有死路一條，這是蒙卦的現象。

「彖曰：蒙，山下有險，險而止，蒙。」

「蒙，亨，以亨行時中也。匪我求童蒙，童蒙求我；志應也。初筮告，以剛中也。再三瀆，瀆則不告。瀆蒙也。蒙以養正，聖功也。」

孔子解釋上面的卦辭說：卜到蒙卦是亨通的，因爲行爲思想，把握了時間，得其中道，不偏，自然亨通，這個卦爲什麼是「行時中也」？因爲陽卦多陰，陰卦多陽，這個蒙卦是陽卦，六爻中祇有兩陽爻，以男女爲喻，一群女孩中，祇有兩個男子，其中一個上九是老頭，另一個是九二爻，還很年輕，又得其中，正在坎卦的中爻，像二十幾歲的青年，最標悍的時候，而且亦得其位，位就是空間，易經告訴我們，任何東西得其時，得其位，當然是亨通的。至於「匪我求童蒙，童蒙求我」孔子說是「志應也」，意志、思想、感情相通，從卦象上看，上下交互相連都是好的，所以上下相通是好的。「初筮告，以剛中也。」初筮告，是因爲下卦坎卦的陽爻得其中，陽剛得中，誠誠懇懇，爽朗、坦白，當然得到答案。「再三瀆，瀆則不告」，把九二爻另外放到任何位置都不對，最後孔子作結論：「蒙以養正，聖功也。」所以中國文化的教育思想、政治思想，都取用這個蒙卦，所以中國古代的教育，以人格的教育爲主，現在不同了，現在是生活的教育、技術的教育，古代教育的目的在「養正」——完成一個人格，這是聖人的事業，是一種功德，不是今日動輒講「價值」所可比擬的了。

中國文化的教育哲學思想，蒙卦裏包含了很多，但不是全體，而且蒙卦的教育思想哲學，不屬於現代教育思想哲學的狹窄範圍以內，中國文化蒙卦的教育思想，包括政治亦是教育，中國古代是政教不分的，作之君，作之親，作之師，這就是政教不分的道理。全國的領導人就是大家長，就有教育全民的責任，這是中國古代觀念的一個重點。尤其在蒙卦中還看到，中國古代不但政教不分，而且還包括了現代的法治，就是所謂「刑教」，包括了法律的管理，刑教不分。譬如犯了法判罪，罪有輕重，在易經蒙卦的思想，判刑亦是一種教育，如家裏孩子犯了錯，祇好責打幾下，這亦就是蒙以養正的象辭觀念。

行到有功方爲德

「象曰：山下出泉，蒙，君子以果行育德。」

這個卦的現象，上面是艮卦，下面是坎卦，如勉强用圖畫來畫圖解釋，上面是高山，下面是湖水。至於蒙，如杭州的西湖，或者湖南的洞庭湖，早晨起來，一片水蒸氣上來，濛濛的把山都遮住了，這就是蒙的現象，這是物理世界的自然現象，以這樣來看蒙卦，就叫作「象」。這裏象辭不說湖沼，說山下出泉，泉水從地下冒上來，我們硏究卦象，先暫不看卦，而在腦中構成一個景象，山水蒙，那麼景象是一個山，下面出水，透過了這個現象，對人文文化得了一個概念，效法這個卦的精神——果行、育德——這是兩個觀念，行爲要有好的成果，言行一致，知行合一，行爲要有結果爲果行，讀書人經常說：「救國救民」，「爲天地立心，爲生民立命」，祇講理論不行，要問有沒有做，有沒有事功，沒有則不算果行。那麼蒙卦的果行是什麼？是育德，教育、養育，對於人，對於萬物，要施給他，養育得到成果，上古時「德者得也」，德字的意思亦是好的成果，就是透過這個卦象，牽到人文文化上來，人要效法蒙卦的精神，做到果行育德，如大禹治水，就是果行育德。

這個人文思想和這個卦象有什麼關係？這是三代以後把這種人文思想套上去的，因此山高水深，源遠流長，思源等等都是從這觀念來的。

象辭與彖辭比較，則又完全是兩回事，這中間就有考據問題了；不管考據，亦是兩個不同意義，或者深度不同的兩重意義。

再看爻辭，也沒有一個完整的系列，不是一個系統，歷來對易經的註解，都以「易經是對的」觀念爲前提，即使易經上解釋不清楚，亦想盡辦法找理由附會上去。

刑罰與教育功能

「初六，發蒙，利用刑人，用說桎梏，以往吝。」

就是刑教、刑法，發蒙這兩個字很有道理，因爲山下有水，凡有水就有水蒸氣，接下來「利用刑人」，不知扯到那裏去了？這個現象是拿來講政治法律的道理。人犯了錯，沒有辦法教化，祇好用刑。這個「利用刑人」的「利用」一辭，不是現代觀念的「利用」，現在說「利用某人」是一句很壞的話，至少在道德上犯了罪，在易經上常有「利用」這兩個字，幷不是壞意，這兩個字要分開，易經上的「利用」，意思是用得對人有利。如「利用刑人」是說用刑法不一定是一件好事，但是有利。因爲人類中有些人不聽好的教化，打他一頓就聽了，但是與第一爻的發蒙有什麼關係呢？當然古人的解釋，拚命設法拉關係，我們不去管古人的注解，先看原文：「用說桎梏」，「說」亦是論語「不亦說乎」一樣悅的意思，人受了桎梏，還有什麼快活？因爲這是教化，就是蒙以養正，犯了罪受懲罰後，因此教化過來，就是很高興的事，「以往吝」卜到這個卦，是倒楣的，不必去做了。

蒙卦一推到人文文化上來，變成了這樣，這個爻辭是文王作的，在當時和現在廟裏的籤詩一樣。這個現象是一個人在中間，上下都是困難，都是陰，到了二爻上去是震發、開發的現象，再往前，處處都是坷坷坎坎，不順利，因此爻辭是這樣一個說法。如詳細研究，要看焦贛作的「易林」。後來假借邵康節作的河洛理數的卦辭，他所講的這一爻，不用這個東西，所以古人很高明，推翻了周易，自己獨創一格，據我的研究，他們早有發現，這個卦的爻辭，欲作什麼解釋，都有理由，但是古人對於聖人，一輩子很恭敬，不敢說一句反對的話，因此祇有自己創作，但亦是根據周易的系統來，可是解釋不同。大家拚命在講易學，其中有沒有後人改革的創作，大家都沒有注意到。

「象曰：利用刑人，以正法也。」

唐宋以後，將犯人拿去殺頭，執行死刑叫作「正法」，這個名辭是從易經這裏來的，但是這裏的「正法」并不是指殺頭處死刑，正是正，法是法，當人有不對的地方，犯了錯的時候，應該處罰的則處罰，以法來糾正人的錯誤，是教育的意思，與蒙卦本身的原理并無不同。蒙卦的現象，用來站在教育的立場，來講刑罰就叫做「利用刑人」，是使人得正的方法。這是蒙卦第一爻，來得那麼兇，等於以刑法治世，主張治法的精神，如果斷章取義說蒙卦初爻主張以法治天下，沒有錯，但就整個卦來說，問題就大了。到第二爻說法又變了，又是一個理論系統。

易理的平淡與神祕

「九二，包蒙，吉，納婦吉，子克家。象曰：子克家，剛柔接也。」

如果卜卦卜到這一爻，就大吉大利，是討老婆的好卦，不但討到好老婆，而且生得好兒子，將來大振家聲，前途無量，後福無窮，就是這樣好，這和上面第一爻剛剛相反，當然這一爻是陽爻，代表男性，前面四個陰爻，有四個女的等他，自然討到好老婆，就是這麼個道理。說易經是大學問，其實就像小孩玩耍，但是世界上最神祕的學問，都是小孩子在玩的。我發現一個道理，任何人的一生，沒有離開他幼年幻想的範圍，如周歲的小兒，在一堆玩具中，喜歡取刀，長大則爲武人，或說這是迷信，但剝開迷信的外衣，其中有高深的學理，這是下意識地表現了他的稟性。總之，最高深的學理，都是小兒玩的，佛學裏對於世界上的學問，稱爲「戲論」－兒戲之論。假使從這個觀點看易經，亦祇是「戲論」而已。所以我們研究學問，亦并不需要「高推聖境」，對聖人的東西先把他崇拜起來，然後從那崇拜的路上，自己蒙蔽了自己的智慧，硬往那裏湊，就划不來。研究這些東西，頭腦科學，不崇拜古人，亦不輕視古人，如蒙卦的包蒙，這裏內卦爲坎卦，在後天卦裏，離卦是陽性，坎卦是陰性，如以陽卦多陰而論，坎卦又爲中男，前面又有許多陰爻在，包蒙就是陽爻被包在陰爻裏，所以吉，子克家，因爲是中男，象辭是解釋「子克家」這句話，因爲是剛柔相接，陰陽相合，另外一說，是用交互卦的接法，這一陽爻與上兩爻接，變爲震卦，震是長子，所以說子克家。

秋胡戲妻

「六三，勿用取女，見金夫，不有躬，无攸利。象曰：勿用取女，行不順也。」

說到這一爻，想起古人中一位大家了，就是宋代有名的朱熹朱夫子，那是不得了的人物，在專制時代，如果像我這樣隨便批評朱熹，就早應該殺頭了。在明朝以後正式規定考功名要以朱熹的注解爲標準，可是朱熹研究一輩子易經，他對這一爻的解釋妙得很，他說，如果卜到這個卦，不可以討太太，至於「見金夫」，他說是秋胡戲妻的那個樣子，這個女人的後面有一個情人，就是她的前夫，眞不知朱熹這個話從何說起？何以叫作「見金夫」？套用起來，牽強附會的多了。我們知道坎是西方之卦，西方屬金，夫是由第一爻是陰性，陰性的後面是陽性這裏來的，所以從後面跟了一個男人，這樣的太太去娶他幹什麼？這個男人是西北人，或者是她西邊的鄰居，像這樣解釋還可以勉強上去，一定說拿了黃金做情人，在法律上罪證不足，該是不起訴處分，這種解釋是不成爲理由的，「不有躬」如果勉強討這個太太，連命都不能保住，躬者就是身體，命都保不了，无攸利，沒有什麼好處。

這個解釋不知說些什麼？明明是山下有水叫作蒙卦，卻出來那麼多的事故，每一爻都不同，每爻來編一個不同的故事，看看蠻有味道，宋朝一個儒家楊萬里，亦是一個詩人，就用歷史的事情來解釋易經，看來也蠻好玩。（楊萬里字誠齋，著有誠齋易傳二十卷）

象辭的「勿用取女」這句話，是說這一爻隨便怎麼走都不順，坎坷很多……。

「六四，困蒙，吝。象曰：困蒙之吝，獨遠實也。」

爲什麼是困蒙？時間不同，位置不同，一個程序一個程序來，六爻的變動，就告訴我們一個人生，所以到了六四，困蒙，受困了，上下都不好，都是陰氣，等於山水之間在起蒙霧了，萬事不通，都不好。所以象辭說，困蒙這一爻是不對的，因爲陰陽不能調和均衡，上面的老陽夠不到，下面的陽爻亦隔開了。

「六五，童蒙吉。象曰：童蒙之吉，順以巽也。」

上面看到各爻，先由受刑罰，後又娶太太生兒子，在中間還有個女人，還有姘頭，還有走不通的路，到這裏生出孩子來了，這一卦有利於年輕人，大吉大利，但要注意，老頭碰到這一卦，不大對頭，因爲不童蒙了，要童蒙才吉，象辭的解釋，童蒙之吉，是順利得很，因爲這一爻動，陰變陽，上卦就變成巽卦了，所以順以巽。

「上九，擊蒙，不利為寇，利禦寇。象曰：利用禦寇，上下順也。」

當土匪去搶別人不行，別人當土匪去防禦他則有利，如果打仗，主動去攻擊不行，祇能防禦，別人來打擊，他必敗，去打擊別人亦會失敗，就是這樣的現象，所以要安靜不動，要防禦，不能攻擊。象辭解釋的理由很簡單，因爲上下順，在象上防禦的工事都做好了。

現在回轉來檢査，蒙卦的彖辭和象辭有矛盾，並不完全一致，六爻的解釋有那麼多不同的東西，不成系統的湊攏來，所以我們須知易經在最古老的時候，是沒有這些辭句的，就祇是一横爲陽爻，兩横爲陰爻的圖案，用來卜卦，上古的人文化不發達，欲想求知不可知的一面，用這占卜方法，流傳久了，宗教迷信就成爲人類文化的起源，人類任何文化都是這種宗教迷信——現代稱爲神祕學爲起源，中國到了夏、商、周三代以後，形成了人類文化，把這套東西，拿來作如此解釋，這是研究學術的一個路線。

需卦

第三講需卦，第一卦是水雷屯，現在上卦是水，沒有變動，下面乾卦，水天是需卦，這個卦名的需字，用說文來研究，上面在下雨，下面是一個而字，是古代的象形字，「𩁹」上雨下來了，下面亦在下雨，一層一層的雨下來，就像這需字一樣，爲什叫需？人類於日光、空氣、水，一樣缺不了，當然需要，需的文字本身，就是這樣解釋，尤其農業社會有形的東西，水最重要，可是用作卦名，是誰替它定的？則不知道，有說是文王定的有說是伏羲，但是伏羲畫八卦的時候，還沒有文字，所以這個說法也不一定，甚至卦名是在那一個時代定出出來的？亦是問題，這是我們要注意的。

「需，有孚，光亨，貞吉，利涉大川。」

乾、坤兩卦的元、亨、利、貞四個字，到了後面的卦，元字都去掉了，最好的是亨、利、貞三個字，乃至有的卦，祇有其中兩個字或一個字，這個卦還和屯卦一樣有亨、利、貞三個字，那麼有孚的意義是什麼？古人講易理的解釋說「孚者信也。」有信，言而有信，古人這個解釋不通。所謂「孚信」，孚字原來就是「老母雞孵小雞」的意思，孚字上面是雞爪，下面一個兒子，小雞快出來了，爲有孚，有信用了，所以後人借用這個字，意思就是信，後來又加卵爲孵了。「光亨」光當然亨通，光一亮，什麼都看見了。「貞吉」正就大吉，有利沒有利？有限度的利，要過河，過黃河，過長江，出海過海洋有利，假使組織航運公司，卜到這個卦會發財，做交通事業亦會發財。爲什麼這樣說？外卦是水，水在外面，天在內（這個天是抽象的），那麼水就有利了。

「彖曰：需、須也，險在前也，剛健而不陷其義不困窮矣。需，有孚、光亨、貞吉。位乎天位，以正中也；利涉大川，往有功也。」

需的意義就是需要，我們看了孔子的序傳就知道，這一卦險在前，平面來講，前面是坎卦，坎亦是坡坎，亦是大水，但是「剛健而不陷其義」，本身陽剛之氣太多了，後面乾卦，三爻是陽爻，而坎卦本身中間亦是陽爻，雖然有危險的現象，因爲剛健不會跌倒，以這個意義來講，不會受困走絕路，爲什麼有孚、光亨、貞吉。因爲這是一個好卦，後卦是前卦的天，海闊天空，而坎卦的陽爻，得其中位。「利涉大川」祇要涉，往前面去，就有很好的成果，這是彖辭對卦辭的解釋。

彖辭、象辭的矛盾

「象曰：雲上於天，需；君子以飲食宴樂。」

這與彖辭不同，而說雲上於天是需，畫面兩樣。彖辭解釋前面是一片水的平面圖，象辭的畫面是立體的，天上面都是雲霧，他說這個卦是叫我們上館子，不但上館子，還要作樂，我們就發現彖辭、象辭是矛盾的，對聖人不好意思說他矛盾，姑且說是兩重意義，這樣兩重不同的意義該怎麼辦？且暫時擱在這裏，以後再說。

需卦爻辭

「初九，需于郊，利用恒，无咎。象曰：需於郊，不犯難行也；利用恒，无咎，未失常也。」

需於郊，是根據象辭「雲上於天」來的，要下雨了，夏天熱得要死，希望下一場雨，結果下了，可是「及時雨送（宋）江」，下到外面去了。需于郊就是雨下到郊外去了，引用這個現象來講人文文化哲學，則「利用恒」要恒心，萬事要用恒心，卜到此卦，表示有消息，但慢慢來，要有恒心去做，最後有好結果。「无咎」沒有毛病，沒有過錯，象辭對於爻辭，是用人生哲學的道理來解釋的。「需於郊」——是要有恒心慢慢來，「勿犯難行」遇到特別的困難，不要浮躁去衝破，知道不對退回來，等機會。「利用恒无咎，未失常也。」怎麽說无咎是因爲未失常，這個卦初九爻動，動得很正常，假如卜卦初九爻動，就變成了水風井卦，現象變了，初步有受困之象，但是不壞。

「九二，需于沙，小有言，終吉。象曰：需于沙，衍在中也，雖小有言，以吉終也。」

第二爻，這陣雨下到沙灘上去了，立即乾了。卜得的意思是有口舌、多是非，但是沒有關係，別人譭謗、批評，不用怕，最後還是好的。象辭說：「需于沙，衍在中也」一陣雨，下到沙灘裏，就漫衍開了，「雖小有言」人家的閒話像下雨一樣，滴滴答答，嚕嚕嘛嘛，但最後還是好的，爲什麼最後是好的？因爲第二爻動了，變成水火既濟卦，所以卜卦有時取其動，有時取其不動，其間如何取法？則在各人的智慧，如夜間進房內要開燈，則取動，天氣轉冷了要關上冷氣，則是取不動的靜象了。

「九三，需于泥，致寇至。象曰：需于泥，災在外也，自我致寇，敬慎不敗也。」

到了第三爻變討厭了，雨下在泥土地上，都是爛泥地，路都不能走，這個卦有危險的現象，如果在前方作戰，擔心敵人要來攻擊了；如作小偷的，偷風不偷月，偷雨不偷雪，泥濘會困人，所以土匪在這時行刼，象辭解釋說：「需於泥，災在外也。」爲什麼說災在外？因爲第三爻動了，內卦變成兌卦，水澤節，水上加水，要節制了。「自我致寇，敬愼不敗也。」有敵人來攻擊，亦是自己內部問題，把敵人引進來的，所以要敬愼處理，才不會失敗，但不敬不愼，還是要失敗的。

「六四，需于血，出自穴。象曰：需于血，順以聽也。」

卜到這個卦，恐怕有流血的事情發生，在那裏出血？大部分在耳朶，坎爲耳，因爲外卦坎的初爻動，所以象辭說「需于血，順以聽。怎麼是順以聽？因爲第四爻動後倒過來是巽卦，這裡是取巽順的意思，看來這一說法蠻牽强的，可是古人研究易經，把這些牽强的當寶貝，當眞理，拿來打轉，轉了一輩子五六十年，精神心血都轉在裏面了，還是不得究竟。

「九五，需于酒食，貞吉。象曰：酒食貞吉，以中正也。」

到九五爻就好了，有酒食，有人請吃酒筵，大吉大利。象辭說：「酒食貞吉」，是因爲九五爻，有中正之道，這一爻是陽爻，前後都是陰爻，是外卦的中位，重卦的第五位，至中至正的位。

「上六，入于穴，有不速之客三人來，敬之終吉。象曰：不速之客來，敬之終吉，雖不當位，未大失也。」

這個卦很妙，古書上很多人，早晨卜到這個卦，都教家人準備，有不請自來的客人將要來訪，可是對於這三位客人，對他恭敬客氣，就大吉。象辭的解釋是說，上六爻動了，雖然不當位，但本身是水天需卦，沒有離開坎卦的本位，所以亦沒有大錯。但這三個客人從那裏來的？既不是先天卦，亦不是後天卦，這三人到底從那裏來？是下卦的乾卦跟着三個陽爻。

從這裏看，易經就是這樣，沒有什麼了不起，可是許多人不管易經的本文，祇在六十四卦的象數上去發展，也還有他的道理，知道了這個道理，姓張的可以寫「張易」，姓李的也可以寫「李易」了。

不過話說回來，如果我們要對於卦辭爻辭作進一步的研究，可以參考一本書——易林，焦贛著的，以商務書局出版的易林版本比較好。他對於六十四卦卦辭和爻辭的內容，又有不同的說法，這是他易經研究通了以後，眞正照文王的觀念而來的一套思想。有些人卜卦，比較正確的，亦用易林的內容，胡適對易林也作過考據，文字亦很美很妙，大家可以參考。

學易與用易

至於我們要對每一卦、每一爻作再深一層的研究，據我現在所了解，便不是那麼簡單了，必須研究中國古代天文學，亦叫作星象學——天文現象，二十八宿星象的躔度，同每一個卦所代表的星座，每一星座在某一躔度上和其他星座所發生的關聯，構成了一個現象。譬如說北斗七星，那七顆星何嘗是一個斗？是古人觀察天文，把那七顆星連起來，畫出來像一個斗。如西方人講天女星，也是根據神話的想像而來的，實際上並沒有仙女在那裡，祇是一些星星連起來的虛線，大概像一個天女，那就如易經所說的「象」。現在西方的天文學那麼發達，亦離不開星象，這個星象學和現代的太空學已分爲兩路。一路是實際研究追查每個星球在天體裏的相互關係，是天文走到太空方面去了；一路是研究追查星座和地球發生的影響關係，而構成抽象性的對人類活動的作用，這就變成星象學。星象學有印度的、埃及的、中國的、西洋的，各個系統不同，但大致上原則還是一樣的。可知易經每卦每爻的意思，是由星象學來的。漢朝有名的京房易傳，把這個要點藏在裏面，沒有明指出來，等於對後人留了一手。後來到了宋朝的易學大家邵康節，所謂能前知五千年，後知六萬年，就是從這個星象系統來的，所以他敢吹這個牛。那麼我們知道中國的天干、地支、五行、八卦，都是歸納了非常複雜的星象學，化繁爲簡變成一般人都能懂得的抽象東西。因爲一般人不知道天干、地支、五行、八卦的來源是星象學，就認爲是江湖術士，實際上江湖術士的這一套，基本上有其最高深的中國文化作背景。所以不要看了周易的各種解說，就祇在周易上轉圈子，我個人認爲這樣毫無用處。近幾年來研究易經又是一窩蜂，在我看來，祇這樣打圈子，研究死了亦沒有用，對國家、對文化不會有貢獻！唯一的用途，退休的人沒有事做，鑽進去蠻舒服，要眞正有用，要有科學精神，而不是以現代的自然科學硬套上去，這是我個人到今天爲止，很深切的體會。易學是高深的，欲眞的把它變成爲有用的，必須如此。沒有做到實用，還是抽象化的偏重在思想方面，換言之祇是偏重於哲學方面，是虛玄的，實際上沒有用。所以研究易經，千萬不要鑽牛角尖，古人亦如此，儘管著作等身，很了不起，可是有沒有用？此身都不能飽，如此而已。除非把古人的書都看懂了，都記得，然後推開，再找本文，或者有一點用處。至於講道理，像宋朝以後理學家們講易經的道理，我素來不大注重，如剛才說的那一些，每一個爻辭拿出來解釋，都可以寫一本書，可是有什麼用？有時候還會誤人，作爲一個文化工作者，乃至寫一點小東西，一個字都不敢亂寫，寫出來是快意，但是如果偏差了，那個後果就不堪設想，所以不敢輕易下筆。古人著書就這樣嚴謹，現在的人不管這些，發表了再說，後果如何不考慮，這是古今不同處。

卦序的問題

上次說到屯卦時，引發了周易六十四卦排列的次序問題，爲什麼要這樣排？這是一個大問題，我是一直到現在，認爲還沒有得到最圓滿的答案，這裏在講下一個卦之前，必須先把序卦傳提出來討論討論，這個序卦傳，就是古文上常說到的孔子贊易——這個「贊」就是參贊，幫助易經的研究。——孔子贊易有十翼，就是孔子研究易經的十個著作，稱爲十翼，包括有乾坤兩卦的文言、上下繫傳、彖辭（以前分上下兩彖辭）、象辭（以前分上下兩象辭）

、序卦、說卦、雜卦等十種著作。古人傳統的說法認爲都是孔子作的，序卦就是卦的次序，這一篇很重要，但與象數的關係較少，和中國文化哲學思想的關係卻大了，過去大家都忽略了這一點，我之所以再三提到周易的卦序，爲何這樣排列？因爲這是一個大問題，千古以來有不少人在研究，而在我認爲那些答案的理由都不充分，同時我們亦看過孔子對序卦的說法，亦祇講了易經的理，沒有講象數。孔子的序卦傳以人文思想講卦名的理，講爲什麼叫「屯」？爲什麼叫「蒙」？但要注意到，當伏羲畫八卦的時候，還沒有文字，那麼孔子所講的易理，對於爲什麼這樣排列的理由，似乎亦幷不充分，所以這亦是一個大問題。

推開周易，對於邵康節的道家易那個系統，關於六十四卦的排列，我也很滿意。乾爲天，天風姤，天山遯，一路排下來，非常有道理，可是周易不是照這個順序來的。周易的系統到底怎麼來的？幷沒有解決，這個系統的基本問題沒有解決，拿來亂套學問，我認爲不成其爲學問，所以內心一直對周易是一個問題。

六十四卦在上古的排列，道家另有一個排列方法，可是我研究的結果，也不準確，但它的用法蠻對，他是把一年十二個月，配合十二辟卦，每卦代表一個月，一月三十天，六十四爻相配合，以每月初一的早晨配屯卦，晚上配蒙卦，初二的早上是需卦，晚上是訟卦，這樣依周易的卦序次序來配，六十四卦除了乾、坤、坎、離四卦不用，餘下六十卦，每日兩卦，照周易的次序配下去，這是道家關於象數排列的方法，後世推測天文地理，未卜先知的方法，都是由這一套方法來的，用起來還是蠻對的，但是照道理，我還是不大同意。用起來代表天文一個星象的符號，變化行得通，理由可講不通。人類的文化都是這樣，如科學是講現實，現在發展到理論科學，就變成哲學了，哲學講理。反正事上對，理上不對，所以我常告訴大家，天下事常常有其事不知其理，如鬼、神，就是有其事，不知其理，有的時候又有其理而無其事，那就是經驗還沒有到，要事理合一才是眞學問，所以卦序的問題值得大家研究。

唯物史觀

講到這裏，我們先討論一個卅年代很時髦的問題——唯物史觀。

三十年代非常流行的一種哲學思想，就是歷史哲學，亦即所謂的唯物史觀，他們以唯物觀念來批判歷史的發展，在幾十年前，我們受到這個哲學思想的影響很大，現在看來已經不算什麼，但是它在西方的影響還是不小。現在世界上有些大學歷史系內，多數都有歷史哲學的課程，有些還把唯物史觀作為歷史哲學中的重要參考思想。因為歷史哲學在世界人類的文化、學術思想方面，還在剛開步走的階段，它的目的就是在探討有了天地萬物和人類後，爲什麼人類的歷史會鬧成這樣？比如人類政治史上的幾個大問題——無論是民主也好，君主也好，獨裁也好，自由也好，無政府主義也好，各種各樣都實行過，可是那一種政治制度能使人類永遠的太平幸福？我們還沒有見到過。以上這些政治主張在理論上都有它的道理，但事實上也都有它的缺陷，這是一個哲學問題。又如經濟方面，爲什麼有了貨幣以後，從貝殼到現在的鈔票，一使用後便祇有貶值，永遠沒有漲回去的時候，這是什麼原因？這是歷史哲學上的經濟問題。過去有一些人抓到這些問題，拿着雞毛當令箭，把它改頭換面來作宣傳，煽動性很大。他們把人類社會爲什麼不能太平？爲什麼不能平等的情形？就歸過於他們認爲的敵人，據以攻擊。現在回頭來看，歷史哲學我們早就有了，易經就說過，而且比別人講的好多了！可惜沒有人去發揮，如果有人能把西方的唯物史觀和我們固有的歷史哲學深入研究，眞正瞭解到他的內涵，然後再能對世界經濟、政治的發展融會貫通了，應該可以寫一本很好的書，那就對人類思想貢獻太大了。

現在再看我們的歷史觀，亦可以說是孔子的歷史觀，包括了西方的唯物史觀與唯心史觀，心物一元，非常高明。但是如要加以發揮，祇澋古文，現在這個時代懂的人不會多，這一點是需要大家繼續努力的。

孔子這裏說的是周易六十四卦的次序，爲什麼要這樣排列？前面說過這是我們要深思的。

孔子說創世紀的開始

「有天地，然後萬物生焉，盈天地之間者唯萬物，故受之以屯。屯者，盈也，屯者，物之始生也。」

第一句話就很妙，「有天地，然後萬物生焉。」很自然，中國人說話，這樣就夠了。以文化來比較，這就是中國文化的不同之處。我們強調我們的老祖宗，像孔子思想的高明之處，這裏就祇說有了天地就有了萬物這麼一句話，沒有過問到宗教哲學，宗教哲學要討論到天地是誰造的？萬物又是誰造的？宗教家說有個主宰造的，可是中國人不講這一套。假如說有個主宰造天地萬物，那麼這位主宰又是誰造的？中國人不談這個永遠沒有結論的問題。過去人家說中國人沒有哲學，實際上不是沒有，而是非常高明，這等於佛學裏說的，釋迦牟尼講學說法，有四種方式，其中一種爲「置答」，就是某一問題不須要討論，先放在一邊，孔子這裏的第一句話，就是置答的方式，不是不懂，第一句話就是從人文文化開始，這就是我們文化的特色。

「盈天地之間者唯萬物。」就是充滿天地間的爲萬有。古文中稱萬物，要注意，我們上古時代所用的「物」字，并不是專指現代唯物思想的物，而是有了「東西」，而「東西」亦是包括心物一元，是抽象的，充滿天地之間的，就是萬物。這裏開始就是乾坤兩個卦，乾、坤代表了天、地。乾坤以後就是屯卦，因爲屯的意義就是「盈」，是充滿了，第二個意義「物之始生也」前面說過，屯字的象形，是草下面長了根，上面剛剛出了頭，萌芽的現象，表示萬物開始生長。

從蒙到師人類世界的第一次大動亂

「物生必蒙，故受之以蒙，蒙者蒙也，物之穉也。」

所以古文大家都不願看，尤其現在年輕人，不但不懂，而且會覺得討厭。這裏說，既然有了萬物，像屯字形象一樣，草根露頭，露了頭就一定開始發蒙了，所以屯卦以後，承受在下面的是蒙卦，蒙是什麼？「蒙者蒙也」，以現代白話文的觀點來看，這不是等於沒有解釋？但是中國古代人讀書是先研究字，古禮讀書要先讀小學，那時的小學不是現代的小學，古代的小學就包括了先認識字的意思，每一個字爲什麼這樣寫，中國字和外國字不同，不是字母拼音來的，是意義來的，這裏上面的蒙字是卦名，下面的蒙字是解釋，是說萬物剛剛發芽，亦卽說萬物還在幼穉的階段，所以又說「物之穉也。」種籽種下去，剛發芽，爲發蒙，還在幼穉的階段。

「物穉不可不養也，故受之以需，需者飲食之道也。」

人類社會的發展，當萬物在幼穉的階段，必須要養育，我們研究中國史，天地開闢，大禹以前，還是洪水階段，農業社會還不能奠定，等大禹建設了水利，天下分成九州，這個時候到了養的階段。「物穉不可不養也。」是社會的進化，講究養育，所以蒙卦下面就是需卦。在人類社會的養育，什麼最需要？先要吃飽，萬物亦一樣，螞蟻也一樣，狗也一樣都需要吃飽，這中間的發揮就很大了，三民主義就把民生主義放在裏面，社會人類的發展，祇要有了生命，就要生活，生活的第一個條件先要吃飽，「需者飲食之道也。」這就是需卦。

「飲食必有訟，故受之以訟。」

社會發展到這裏問題來了，人爲了生存，需要生活，生活第一件要飲食，我要吃，你要吃，他也要吃，今天吃了，又怕明天挨餓，希望你少吃一點，我帶回去準備明天吃，於是自私的心出來了，鬥爭發生了，所以需卦下面接着是訟卦。

「訟必有衆起，故受之以師，師者衆也。」

訟卦下面就是師卦，師卦在易經本身代表大衆，現代的名辭，在黨政爲群衆，在軍事爲部隊，人類社會發展到有了自私心理，需要佔有以後，就有鬥爭，有了鬥爭，自然聯合成一個陣線，立場不同的兩樣觀點就對立，立場相同的就聯合爲一群，群衆運動來了，所以下面是師卦，而師不是老師之師，古代所謂出師，是出兵打仗，卽是群衆。

比泰之間的繁榮景象

「衆必有所比，故受之以比，比者比也。」

群衆起來以後，必定有親附性、比較性。比就是排隊，與自己相同，跟着走，中國古字寫比，就是一人在前走，一人在後跟着就是比。如果兩人走相反的方向，就是北，卽是背，相背。有群衆就必有所比，意見有所不同，利害亦不同；如意見相同，利害相同，就聯合在一起，「比者比也。」比卦就是人聯合在一起，派系就來了，意見就來了。

「比必有所畜，故受之以小畜。」

孔子認爲比卦的意見紛歧沒有錯，有比有群眾，大家同心同德在一起，必有畜，有積蓄，亦卽是大家謀共同的利益，雖然是私心，大的私心就是公，就有所畜，有儲蓄準備。如現在的保險制度，是社會安全的最好制度，而這個制度的最初起源，是海盜搶刼以後，就存起一部分財物來，準備作被打死的伙伴遺屬的生活費。後來慢慢發展成爲現在的保險制度，一些東西，有時是壞的卻生起來了好的結果，有時好的也會生起來壞的結果，這就看思想問題、文化問題了，比以後的小畜卦，亦是這樣。

「物畜然後有禮，故受之以履。」

小畜卦下面是履卦，履作名辭是鞋子，作動辭是走路，是行。孔子這裏說一個社會到達了物畜，富庶了，現在說是進步的社會，物質文明富庶以後要有禮，必須有秩序，沒有秩序就不行。如法律、教育、軍事、文化這些都起來了，由此亦看到管子的思想：「倉廩實則知禮節，衣食足則知榮辱。」的原理。物質文明進步以後，有了經濟作用，就有私心，這個時候必須產生文化，要有法律，「故受之以履」，要有應該走的道路，所以就法律哲學來說，法律絕對是對的嗎？不一定。因時間空間的不同，法律的道理也是相對的，在這一時間空間是最好的眞理，拿到另外一個時代或社會，則會變成很壞的事情。那麼何以大家都承認法律是對的，這就是法律的哲學問題了，亦就是這裏所說的「物畜然後有禮，故受之以履。」在每一情形下，要有一條路讓大家好走，有一個秩序好遵守實行。

「履而泰，然後安，故受之以泰，泰者通也。」

履卦下面是泰卦，這是社會的發展，政治的發展，一項政治制度，大家都走得很舒服的一條路，王道坦坦，就履而泰，天下太平，然後就平安了，大家都舒服，亦所謂自由平等，大家都平等了，所以履卦下面是泰卦，泰亦就是通暢了，沒有阻碍了，沒有問題了。

否——人類第一次的文明低潮

「物不可以終通，故受之以否。」

可是問題來了，中國人有句老話：「人無千日好，花無百日紅。」兩個好朋友，尤其兩夫妻，很難得一千天裏不吵架，沒有一朵花開到一百天不凋謝的。我們古人看歷史看得多麼通，最好的時候就是壞的開始，所以泰卦下面，就是否卦。我們看中國歷史的漢朝、唐朝，看西方歷史的羅馬時代，鼎盛的時候，就衰敗下去。家庭亦是一樣，興旺的時候，兒女媳婦都驕貴起來了，太驕貴就是泰到極點，否就來了，否到極點泰來了。不但人是如此，歷史也是一樣，社會發展也是一樣，看通了人生，如此而已。餓了吃，吃了脹，脹完了大便，通了又餓，又吃，……就這麼一回事，一切都是循環。

同人大有——人類文明的更上層樓

「物不可以終否，故受之以同人。」

否、壞到了極點，倒楣到極點的時候就要好了。像我們現在遭遇到的就是否卦，可是人不會永遠倒楣。「物不可以終否」，失敗是成功之母，就是這個道理。「故受之以同人」，否卦下面是同人卦，人遇到倒楣的時候，就要交朋友，交志同道合的人，重新來創業，這是大同思想，自由平等的原則。

「與人同者，物必歸焉，故受之以大有。」

找志同道合的人，要「與人同者」替我想，亦替你想，沒有自私佔有，欲自私祇有公衆的人自私，爲團體而自私，爲國家而自私，爲天下而自私，這就是「與人同者」。能夠有這樣的胸襟，就「物必歸焉」，天下萬物都向同人集中了。所以同人卦下面就是大有卦，就是說公正廉明的人，就有很多朋友，很多部下擁護，所以同人的綜卦，就是大有，所有好的都集中在一起。

「有大者不可以盈，故受之以謙。」

大有卦下面，接着是謙卦，這就告訴我們人生哲學，亦是歷史哲學，人到了最高點的時候，不要自滿，再加便會溢出來，所以大有卦下面「受之以謙」。

「有大而能謙，必豫，故受之以豫。」

一個人富貴功名地位到了極點，又能謙虛，就舒服，自然優豫，所以謙卦的下面，就是豫卦。

「豫必有隨，故受之以隨。」

豫卦的反面（綜卦）是隨卦，這又是人生哲學，歷史亦是這樣，西方羅馬鼎盛時代，天天歌舞昇平是豫，接下來是衰敗，人應居安思危的道理，就從這裏來，舒服的結果有隨跟着來，因爲內部要發生問題了，隨是追隨，意思是有反面的東西跟着要來，亦是隨便的意思，自己沒有中心，隨別人如何便如何，優裕的人，往往自己懶散，連腦筋都不願用，所以受之以隨。

由蠱而剝 看人性的墮落

「以喜隨人者必有事，故受之以蠱，蠱者事也。」

有錢，有勢，有地位，樣樣好的人，就是天下第一人，也就有人來跟隨在他的後面，沾點好處，這樣跟隨的人越來越多，這時就要小心了，就會有事故了。漢高祖打下了天下，大家都吵，張良就告訴漢高祖，天下豪傑追隨你去拚命打天下，是希望天下平定，現在天下統一了，如得來一塊肥肉，還沒有分，大家當然要吵了。漢高祖所以封功臣，便是看通了人性，人生到了某一地位，應該做的事就要做，不能常喜歡別人的恭維或感謝，因爲祇要自己有一點喜好，就有人投其所好——「以喜隨人者必有事，故受之以蠱」。蠱惑，蠱是一種蟲，傳說貴州、雲南的少數邊疆民族會放蠱來麻醉人，使人的腦子都昏了。蠱亦是蟲，很多的蟲，像房屋的白蟻，人身的病菌，蟲多了就有事。

「有事而後可大，故受之以臨，臨者大也。」

但是人不怕事，「有事而後可大，故受之以臨，臨者大也。」懂了這個道理，有事不可怕，有人亦不可怕，祇要認清「我所有的就是大家所有的」，這樣就不錯了，所以下面是臨卦，就是擴大。

「物大然後可觀，故受之以觀。」

臨卦下面是觀卦，一個東西大了，如一粒種籽種在馬路邊上，有誰去理它？經過幾百年變成神木了，大家都來看了，所以壯大了，然後可觀，故受之以觀。

「可觀而後有所合，故受之以噬嗑，嗑者合也。」

觀卦的後面是噬嗑，所謂噬嗑，就是張嘴咬下來的樣子，就是啃，觀卦以後爲什麼是噬嗑卦？因爲有可觀之處，就有所遇合。

「物不可以苟合而已，故受之以賁，賁者飾也。」

這裏又講到文化思想，社會發展到這個時候，原始的東西要加工，要加上人文文化，如面前的塑膠盤子，是用尿素製成，製造的過程一定要經過人文文化的科學處理，不能隨便和些泥獠或麪粉做成，這就是不能苟合，所以一定要有人文文化，受之以賁。「賁者飾也」賁就是裝飾，就是藝術的、文明的。

「致飾，然後亨則盡矣！故受之以剝，剝者剝也。」

文明到了極點，藝術發達，社會平安，等於一個人一樣，家裏富有，藝術字畫堆滿了，亨通了，到了前面沒有路了，所以跟着賁卦下面就是剝卦，物極必反，開始剝落了，剝者就是慢慢掉落，又是一個循環。

「物不可以終盡，剝窮上反下，故受之以復。」

剝卦的下面就是復卦，時代亦是如此，所以中華民族不會危險，剝極了就恢復。「物不可以終盡」，不會有絕路的。「剝窮上反下」，上面的路走完了，翻過來，就成爲復卦。

由復到離　看人生興衰往還

「復則不妄矣，故受之以无妄。」

人受了災難，受了打擊，知道反省，知道復興，就不錯了，所以復卦下面是无妄。

「有无妄，然後可畜，故受之以大畜。」

沒有錯，新的境界來了，有大的發展了，所以受以大畜卦。

「物畜然後可養，故受之以頤，頤者養也。」

眞到了社會的物資夠了，財富平均了，萬物都富足了，然後可以養人，經濟生活可養了，所以大畜卦下面是頤卦，頤就是很舒泰，所以我們恭維老年人退休在家享福爲「頤養天年」，就是這個頤。

「不養則不可動，故受之以大過。」

天地間舒服到極點，就要出毛病，有人說某人做惡多端，卻過得蠻舒服，而我們循規蹈矩，生活卻苦得很，報應在那裏？但中國人有句話：「天將得厚其福而報之。」亦等於基督教講的：「上帝要毀滅一個人，先使他發狂。」使他得意到極點，快點惡貫滿盈，走到頭了，跌下來，所以養到極點，罪惡、浪費、奢靡到了極點，就會出問題，所以頤養的卦下來，就是大過。

「物不可以終過，故受之以坎，坎者陷也。」

大過了不行，宇宙、人生、歷史、社會都是一節一節，所謂運氣，就是階段，和門檻一樣，所以大過卦下是坎卦，有階段就陷下去。

「陷必有所麗，故受之以離，離者麗也。」

覺得陷下去了，不要怕，在苦難的當中會站起來，所以下面是離卦，離卦的意思，像太陽出來一樣，非常漂亮，新的一個時代又開始了。

上面是上經，六十四卦的卦序，是分兩部分排列的，而上經的卦就是這樣排的：乾、坤、屯、蒙、需、訟、師、比、小畜、履、泰、否、同人、大有、謙、豫、隨、蠱、臨、觀、噬嗑、賁、剝、復、无妄、大畜、頤、大過、坎、離等三十個卦，這裏是簡單的講，如果加以發揮，卦與卦之間，產生了太多的道理，人類世界的歷史哲學原則，我們早都有了，我們現在多可憐，有那麼豐盛美好的文化寶庫，我們後代對不起老祖宗們，沒有人去發揮，反誤以爲自己什麼都沒有。

上經的卦序，是講人類社會與歷史發展的關係，下經講到人生了，下經亦很妙。上經以乾坤兩卦開始，下經開始的兩卦是咸、恒。恒卦是雷風恒，上面是震卦，下面是巽卦一☳☴。翻過來，綜卦爲☱☶澤山咸卦，上經起於乾坤，爲什麼下經起於咸恒，咸等於說平等，大家需要一齊，恒是經常的，但在上經裏沒有提乾坤兩卦的卦名，祇以天地作代表，下經裏也不提咸恒的卦名，而以男女作代表，現在大家看下經的卦：

孔夫子的婚姻觀

「有天地然後有萬物，有萬物然後有男女，有男女然後有夫婦，有夫婦然後有父子，有父子然後有君臣，有君臣然後有上下，有上下然後禮義有所錯，夫婦之道不可以不久也，故受之以恒，恒者久也。」

咸卦並沒有提什麼叫「咸」——大家都是這個樣子就是咸。在大學裏上課，有些同學問起，戀愛哲學是什麼？我告訴他們，我愛你就是我愛你，不愛你就不愛你，愛就是自私的，戀愛沒有什麼哲學。但是孔子講得妙，他說有了天地就有萬物，有了萬物就有男女，既不是上帝造的男人，亦不是上帝從男人身上拿出一根肋骨來造女人，而是有了萬物，其中就有男人、女人。一部人類史，就是兩個人唱的戲，唱了幾千萬年，有了男女，自然就會結合，就會談戀愛，變爲夫婦，并不是偷吃了蘋果才變成夫婦，就是說人類社會，祇有四個字「飲食，男女。」兩件事，一是需要活着的問題，一是兩性需要的問題，有些統治者，就用這兩件事去控制人民，不聽他的就沒得吃，不聽他的就娶不到太太或嫁不到丈夫。易經上也點明了這兩件事，上面說了人事歷史發展的關係，下面說有了男女，就自然有夫婦，有了夫婦就自然形成家庭，自然生孩子，生了孩子自然有父子，所以這是五倫的道理，爲什麼有五倫？五四運動要打倒孔家店、打倒孔子—說五倫是吃人的禮教，都是錯的。上述這些是自然現象，社會擴充了，就有人，大家都是人，某人人好一點，選他做領袖，他就是君，我們聽他的，我們就是臣，社會的程序就成了。如果以醫學的觀點來說，假如我到醫學院講演，亦可以亂吹：「人類歷史是荷爾蒙造成的，由一個精蟲和卵子，又加上些什麼染色體變成的。」這樣亦沒有錯。如果以這個觀點看，所有人類都有病態，都該打針，可知人的思想多可怕！思想不純正，亂吹一陣，也可以煽動別人，可是結果卻害了自己，害了別人，譬如弗洛依德說的性心理學，也沒有錯，可是歪理有千條，正理祇有一條，現在易經這裏告訴我們，人類的五倫，不是勉強形成的，不是法律規定的，這是人性的本然，人性走正理，自然發生的。有男女，自然有夫婦，有夫婦自然有父子，有了許多夫婦、父子，自然形成社會，有了社會組織自然有階級。有些人要打倒階級，那是理論上那麼說，事實上眞打倒沒有？那是不可能的。我們研究國父思想，所講的眞平等與假平等的階級觀念才是正確的。有的階級是自然形成，有所謂君臣就自然分上下，有了上下就產生文化、產生禮義—這就是夫婦之道，不可以不久也，這是中國文化。現在西方文化，男女青年都不願意結婚，彼此都不願負責任，這個亂象的問題很大，中國文化要夫婦相敬如賓，就要持久，有恒。

上經是說自開天闢地，有了宇宙的社會發展，現在下經是由個人開始，講到夫婦家庭，父子、君臣的人倫關係，這裏又產生一個哲學問題，天地間的事，沒有永恒存在的，佛學中稱這現象爲無常，易經叫作變化。

功成、名遂、身退

「物不可以久居其所，故受之以遯，遯者退也。」

我們看老子的話「物壯必老，老者必倒。」我們看孔、孟、老、莊思想可知都是從易經裏來的，這是自然的法則。天地間的萬物，壯大，茂盛了，一定衰老，一衰老了就變化，歷史的階段就過去了。所以這裏告訴我們歷史的哲學：「物不可以久居其所，故受之以遯。」這個物當然不是單祇指物質，而是包括人、物、事，就是一個東西不能永恒存在，所以就慢慢退化，故其下爲遯卦。再看老子的思想，「功成、名遂、身退，天之道也」，也就是從易經這個地方來的。從這個序卦的道理看，人到老了，就應該退，交給下一代去。總之，序卦傳中，周易每一個卦的排列程序，都包含了許多道理，中間有很多學問，就要靠自己的智慧去思考去研究。如醫學上的研究，最近外國最流行的，男女更年期是最可怕的，所謂家長本身這時要再教育，夫婦之間的問題，亦多半發生在這一時期。外國人研究夫婦感情最好是三年到五年，有的時間更短；以後的幾十年，維持家庭夫婦關係的，那是道德在維持，法律在維持，幷不像在戀愛期間那種昏天黑地的感情了。而我們易經上早就講到「物不可以久居其所，故受之以遯。」必定退，必定是這樣。

「物不可以終遯，故受之以大壯。」

但話又說回來了，老年人退了，交給年輕的一代，就大壯了。

「物不可以終壯，故受之以晉，晉者進也。」

大壯過了爲什麼是晉卦？晉卦孔子解釋就是進步的現象，一個東西壯大了，自然會求進步，新的一代起來。

「進必有所傷，故受之以明夷，夷者傷也。」

這裏又是社會哲學，歷史哲學來了，進步的階段，一定有傷害。社會的發展，一個求進步、求改革的法令，固然有遠大的理想，可是對於舊有的具破壞性，這亦是革命的哲學，革命就必有所傷。

「傷於外者必反其家，故受之以家人。」

明夷卦的下面接家人卦，孔子解釋在外面受了傷的一定跑回家，不祇是人如此，卽是家畜亦是如此。又如我們的文化，一百多年來，受西洋文化的刺激，變成現代這樣，可是現在慢慢地連外國人亦開始學我們中國文化了，這就是「傷於外者必反其家」，所以是家人之卦。

「家道窮必乖，故受之以睽，睽者乖也。」

古代睽的意思就是夫妻反目，意見不合，所以是處家庭的哲學，家道窮的時候，這并不是貧賤夫妻百事哀的「窮」，而是到了「極點」的意思，「窮盡」的意思。如一個家庭有錢，慢慢奢侈，奢侈到極點，就出毛病，夫婦的感情，國家的政治，都是這樣，一定要乖張。

「乖必有難，故受之以蹇，蹇者難也。」

乖就是乖張，個性的偏激，家庭、社會、政治的問題，都是這樣，過分的乖張，就有困難來了，所以是蹇卦，蹇字的意義，就是跛腳，受了傷走不動，寸步難行。

「物不可以終難，故受之以解，解者緩也。」

自然的法則，一個東西沒有永遠困得住的，不會永遠困難，困久了總要想辦法打出路，所以蹇卦下面是解卦，要解除，要緩和困難。

「緩必有所失，故受之以損。」

有些性情急躁的人容易出事，而性情緩慢的，則容易把困難拖下來，慢慢用變化來解決，但是太緩了亦不行，一定會有損失，急躁的人容易憤事，把事情搞碴了，緩慢的人則容易誤事，等於醫生處方下藥，雖沒有吃壞，可也沒有治好，這就犯了醫學上的過錯，延誤了治療時間，所以解卦下面是損卦。

易經告訴我們，萬事都是相對的，沒有一樣是絕對的，沒有那樣是對，亦沒有那樣是不對的，有時要偏一點才對，有時偏一點又是錯了。

「損而不已必益，故受之以益。」

損的反面是益，損了這一邊，就益了那一邊，禍福是相倚的。

「益而不已必決，故受之以夬，夬者決也。」

在受益時不要以爲得志有福氣，得志就是益，易經告訴我們要曉得進退存亡之道，益了以後不曉得退，到極點就崩潰，就斷了，所以益下面是夬卦。

「決必有所遇，故受之以姤，姤者遇也。」

由易經來觀察宇宙事物，來講歷史文化，人生不會有絕路，要用智慧處理這個人事，處理這個宇宙，就是中間斷了，必然會另外有一個新的環境出現，於是遭遇就來了，所以夬以後就是姤，姤卦爲陰陽相交之卦。

「物相遇而後聚，故受之以萃，萃者聚也。」

一個東西祇要有新的來相遇，就會有新的結合，這個萃，現代的觀念就是結合，萃字本身就是很多茂盛的草聚在一堆，是一種青春可愛的現象。

「聚而上者謂之升，故受之以升。」

一有所聚，慢慢挪移向上升發，社會歷史的發展，亦是一樣。比如十幾年來，許多人本來沒有錢，慢慢合力經營，都變成了大老闆，就是萃然後升發。

「升而不已必困，故受之以困。」

升卦的反面就是困卦，上升不已就必然遭遇新的困難。

「困乎上者必反下，故受之以井。」

困在上面，到了最高處，自然要下來，就掉到井裏去了。個人也好，家庭也好，所處時代環境也好，如同掉下井裏，上面空空爬不上去，下面入不了地，四面又圍住了，這多可憐，於是革卦這個時候就來了。

「井道不可不革，故受之以革。」

想辦法打破時代環境的樊籠，這就是革命。

「革物者莫若鼎，故受之以鼎。」

談革命，常說「鼎革」，那麼鼎革兩卦就值得研究了。上面講到一個東西欲進步，一方面一定要受到損失。所以宋朝的王安石變法很可憐，他的思想現在卻被推崇，如鄰里，保甲制度，都是他當時創制的，可是他當時受那麼大的損失，歷史上亦給他這麼大的罪名，到現代我們才號稱他是歷史上的大政治家，就因爲他在變革的時候一定傷害到別人，他忘記了社會的舊習慣這個力量，很不容易剷除的。易經的原則祇能漸變，沒有突變的事，那種看來是突變的現象，亦是漸漸來的。所以鼎革的道理，一個新的辦法，認爲很有道理，要用來變更舊東西的時候，千萬要根據歷史的經驗，慢慢來。而王安石當時祇想自己親眼看到成功，可是歷史上一個好的東西，假使他能夠忘我，幷不希望自己看到成功，用漸變的方法就好了。很多人犯了這個毛病，想自己看見成功，便一定會失敗。這裏就說，假如要突變的改，除非全面推翻，改革的最好工具莫如鼎，鼎就是鍋，無論什麼東西放進去，都會被化掉，重新熔化一番，再建立起來，所以鼎革兩卦，連在一起。

「主器者莫若長子，故受之以震，震者動也。」

古代中國家族制度，大兒子當家，弟妹視長兄如父，所以當家的莫若長子，所以受之以震，在易經的象數中，震卦是長男，代表大兒子，同時震的另外一個意義就是動，亦就革命會有一個時期的動亂。

「物不可以終動，止之，故受之以艮，艮者止也。」

這裏說明一個處事哲學。政治哲學，領導一個動亂的時候，要曉得時機，把動亂停止下來，所以是艮卦，艮也代表山，好像山一樣靜止下來。

「物不可以終止，故受之以漸，漸者進也。」

但是天下事不能永久停止下來不進步，大學裏的苟日新，日日新，就是要不斷進步，不要滿足於眼前的成就，所以接下來是漸卦。

「進必有所歸，故受之以歸妹。」

易經歸妹卦，是結婚卦，這裏是說，有進步一定有收穫，因此下面是歸妹卦。

「得其所歸者必大，故受之以豐，豐者大也。」

有了收穫，家庭興旺起來，擴大了，就是豐卦。

「窮大者必失其居，故受之以旅。」

家族擴大了，人口多了，房子亦不夠住了，祇好出國去，像我們民族龐大了，所以世界上到處都有華僑。講人生的哲學，過分擴大了就會忘記了本位。

「旅而无所容，故受之以巽，巽者入也。」

外面跑跑，失敗了，亦吃不開了，祇好買張飛機票回來，這是巽卦。

「入而後說之，故受之以兌，兌者說也。」

這裏「說」音悅，就是論語上「不亦說乎」的「說」，回來就高興了。

「說而後散之，故受之以渙，渙者離也。」

高興過度了，又散掉了，得意不能忘形，所以兌卦之後是渙卦，渙是水一樣散開。

「物不可以終離，故受之以節。」

渙散之後，不能一直渙散下去，而終歸要節制。

「節而信之，故受之以中孚。」

有了節制，就有中和的作用。

「有其信者必行之，故受之以小過。」

中孚亦是有信，有信往往矯枉過正，故受之以小過卦。

「有過物者必濟，故受之以既濟。」

既然過頭了，有正有反，有另外一個新的接觸，所以小過卦下面是既濟卦。

永無盡止

「物不可窮也，故受之以未濟終焉。」

最後是未濟卦，永遠湊合不了，這裏產生一個哲學問題。易經中孔子告訴我們一個歷史哲學，看懂了要哈哈一笑，人世間事情是永遠作不了結論的，永遠是未濟。宇宙永遠這樣發展下去，這個地球毀滅了，一個新的地球又會來，永遠停止不了，這是我們偉大的歷史哲學，所以和馬克斯唯物史觀的歷史哲學比起來，所謂唯物史觀就一文不值了。我們文化寶庫裏有這樣好的歷史哲學，可惜把它丟在倉庫裏給書蟲去吃，這是中國文化可憐的地方。

同時，從這未濟卦上，亦產生了我們個人的修養，說人生要作一個交代，那祇是一個理論，因爲最後是未濟卦，永遠完不了事的，這是一個觀念。

還有一個觀念，是研究六十四卦的方法，用中爻上下交互，最後的結果，除了乾坤兩卦外，不是既濟，就是未濟，所以大家卜卦欲知過去未來，亦是這兩卦的作用，吉凶，對或不對，就是既濟或未濟，懂了這些所以易經很好研究，幷不深奧得那麼複雜可怕。

不斷的研究與求證

上面孔子研究序卦的這番理由對不對？作歷史哲學看，作人文文化看，理由非常充分。嚴格說來，孔子這篇序卦傳，祇是解釋卦名而已，譬如他祇解釋什麼是需，是需要的需。以現代經濟學觀點而言，人類活着就要飲食，這就是需，有了需要，人就會發生鬥爭，因此需卦下面是訟卦。孔子說的理由非常充分，但是易經的本身，是從象數來的，如果以象數來看需卦，我們這位聖人所說的理由，還是成了問題，祇能說，孔子祇是就易理上講道理，尤其是人文文化的理這一方面，講得非常圓滿。至於六十四卦爲什麼這樣排列的科學性關係？他在序卦傳裏幷沒有說出充分的道理，亦不足以使我們滿足，不必要因爲他是聖人而我們就認爲都是對的。

我們四庫全書裏，發現古人對易經解釋的著作佔有很重要的份量，自成一個系統，後世的注解——自秦漢以後直到現在，所有解釋性的著作，有一個共通的概念，認爲周易這本書中的意見都對，有的解釋不出來的，也要旁徵博引證明它是對的，著作人絞盡腦汁，想盡辦法，如何去符合「都對」的那條理路上，像這樣做學問的態度，是不是正確？值得考慮。

比如說周易爲什麼乾坤兩卦以後，接下來就是屯卦，亦可以說屯卦是乾坤兩卦變來的，水雷屯，坎卦是坤卦中間一爻由陰變陽而來，震卦是乾卦第二三兩爻由陽變陰而來，那麼爲什麼是二三兩爻變？這裏產生一個思想了。

推開易經，我們再看西方的文化來源，是由宗教而哲學，西方的哲學首推希臘，開始研究形而上學——宇宙來源，說宇宙的第一個原始是水做的，當然不是我們現在看到的水。以地質學而言，地球在沒有形成以前，太空中突然一股力量，像颱風一樣，中國人稱它爲氣。這個氣是液體的氣，就叫作水，慢慢在旋轉，不知旋轉了多少億萬年，這股水氣，凝結起來，就變成地球。突出的是高山，陷下的是海洋，海洋中的水是第二重的水，是後天的水，是在地球形成以後，包圍了地球的氣所成的。印度人亦講地、水、火、風，是水開始，中國人亦這樣說的，五行道理，天一生水，地二生火，亦是水做的，那麼易經乾坤兩卦，這個乾坤——宇宙是怎麼來的？水雷屯來的。可以說宇宙來源的開始，或者說後天的世界開始，是屯卦。看卦辭亦是那麼說，因爲乾卦外面一動，就變成震，震是一種能量，等於科學、地質學的解釋宇宙最初的動力，動起來以後，就慢慢成爲中爻的凝結，就變成地球，這個現象，我們給他一個符號，叫作「水雷屯」。地球形成以後，還沒有萬物、人類和文化，慢慢山水蒙，屯卦一翻過來的現象，地球下面都是水，上面是高山，慢慢草木生長發芽了，人類生長了，人類的來源在那裏？則沒有講。這樣一湊，又是「有道理！我們的易經偉大！」但這一套是我湊的，要捧自己的祖先就是這樣，把古今中外凡是有理的湊上去就對。好像到百貨公司買一副七巧板，很漂亮，可以湊成各種形象，就像以上所說的。可是我自己對於這樣的解釋，并沒有滿足。這樣講一套，大家聽起來，言之成理，可是我反問自己眞的就這樣嗎？還是此心不安，大有問題。究竟它是怎麼來的？還是一個大問題。我在這裏把研究易經的經驗告訴大家，所以我不大肯講易經，如果自己認爲自己對易經的意見就是眞理，那就錯了。文王、孔子都死了，欲向他們當面請教，又沒有辦法？所以研究學問，要用這樣客觀的態度，因此我說周易六十四卦的卦序，爲什麼這樣排列的問題，求之於古人，沒有得到解決。

由此看來，幾千年來，我們對於易經這本書，無論是那位易經大家？乃至於上通天文，下知地理的人，都沒有給我們一個圓滿的解答，這是要注意的。

六十四卦有時候矛盾的地方很多，包括孔子的十翼在內，比如彖辭和象辭，對卦所下的定義，往往是相反的。都要去研究、考據。如認爲彖辭是一人作的，象辭又是另外一人作的，幷不完全是孔子作的，因此有一說，認爲彖辭是孔子作的，象辭是周公作的。當然，這是「事出有因，查無實據」的事，周公也好，孔子也好，彖辭與象辭下的定義，有時是相反的，有時是一致的，這中間都是問題。求眞理要會懷疑，當然也不要沒有理由的亂懷疑，抗拒性的懷疑也不對，而是要虛心，懷疑亦是虛心的一種態度，不要以崇拜性的觀念認爲前人一定是對的，這樣就不科學了。

附·淺介南著易經雜說

閆修篆

易經是一部十分難讀的書，很多人想讀易經而不知從何著手，大家都以為易經是一部很神秘很玄妙的書。

歷代賢哲有關易經的研究與著述，往往窮畢生之力，著作之富，亦屬汗牛充棟洋洋大觀，可惜的是歷代的周易名家，都沒有把他們的方法與心得，明白的告訴世人，因之史家多記其事而略其法，尋章摘句，望文探幽者，雖連篇累牘，然亦說多紛歧，使人如墜五里霧中，乃士大夫之易，對於一般社會大衆，沒有多大的幫助。

丁卯夏，於老古文化公司，得睹國學大師南懷瑾教授的易經講稿，拜讀之下，簡直使我難以想像，我會以讀江湖奇俠傳一樣的心情，一口氣將它讀完，使我深深的體會到古人「閒坐小窗讀周易，不知春去已多時」的情景。

這本書所給我的印象——

這是一部引人入勝的書

易經本來是一部引人入勝的書，但這必須要先能入乎其內才可，初學者能像讀武俠小說一樣，那麼傳神、那麼專注、那麼引人入勝，實在是曠古以來僅有的第一部易學著述，這證明了易經「乾以易知，坤以簡能」的說法是不錯的，但也唯有真正懂得了易經的人，才能深入淺出，引喻舉譬，說得這麼清楚，這樣明白，毫不隱僻含混，勉强湊合，本書引人入勝處，卽在透過作者淵博的學識，把握了歷史發展的趨勢，將人事與自然法則，歷史規則結合為一，南先生以其極為嚴肅的治學態度，輕鬆的口吻，網羅逸聞，探玄尋幽，透露了易的消息與秘密。

這是一部人人讀得懂的書

如所周知，易經的難識難懂，由於象數的失傳，本已艱澀的辭句，幽晦不明的含義，已經造成了後人學易極大的文字障礙，復加以後世治易者紛歧不一的說法，使易愈以難識難曉了。南先生以其真知灼見，透過時代思潮與他豐富的人生經驗，像寫小說一樣，極其平易的幫助我們解開了幽晦艱澀的苦結，使人人易知易曉，為青年學子、社會大衆，牖啓了一條嶄新的學易門徑，三聖心法，雖不敢說已由此可窺可見，但確已破解了千古以來學易的謎結。

這是一部融義理象數爲一的書

世人說易，有所謂義理之學者，有所謂象數之學者。義理之學是偏重人文的，這自晉朝的王弼開始，王弼主張掃象，所謂得意而忘象，得象而忘言，宋儒附之，遂使象數之學，隱晦了好幾個世紀。象數之學，偏重心靈玄密，是探賾索隱，尋求前識的學問，亦卽近代所謂的心靈學、神秘學之類，在我國民心理上佔有很重要的位置，兩種思想，極其涇渭，前者形成士大夫的獨家殿堂，後者流入江湖，往往成為江湖術士混飯吃的工具，不知古人象數之學，本為演譯自然，闡明易理而設，如所謂「懸象著明」，使人們透過了「象」的啓示，達到「明」的境地，明白事的悔吝，動的休咎。人們如何才能見了這個象而知所趨避？那必須要透過一種特殊的方法與程序，這個方法，各家不同，有管輅虞翻的、有焦贛京房的、有邵康節的……但他們的基本原理却是一樣的，也都是象、理、數的綜合運用而已。

老子：「人法地，地法天，天法道，道法自然」，這不就是易經繫傳所說的：「有天道焉，有地道焉，有人道焉。」的道理是一樣的麼？易經的一切作為，都是在「明於憂患之故，以前民用」為目的，可知後人執象數而棄義理，失去了古人作易的本旨，必將流入「其蔽也賊」的後果，掃象而得意，也明顯的違背了易經「絜靜精微」的精神。

這是一部與人人有關的書

前面說過，易經是為人事而設，這點易繫傳：「開物成務，冒天下之道。」「以通天下之志，以定天下之業，以斷天下之疑。」已說明了一切，所以儘管易經包羅了天地間的一切學問，但這些莫不與人事有關，古人不學易不可為將相的話，雖然不錯，但將相畢竟是芸芸衆生中的極少數，「百姓日用而不知」，可見易經是與社會大衆人人有關的了，也可以說上至將相，下至凡庶，凡天地之間的莫不與易經有關。南教授在本書中說明了爻為什麼止於六，人生的歷程，也是如此，一個卦的六爻，往往就是一個人一生各個階段的指標，也可以說是人生經歷的寒暑表，這中間已包括了亨通的、困阻的、危殆的、復甦的種種事實與啓示。固然易經六十四卦，三百八十四爻，四千九十六之卦，無一不為人事而設，但這多是告訴占者占得此卦此爻如何如何，本書作者却明白的指出了不待占而知的全部人生，每一個時期，每一個階段，所應遵循的法則與規範。

這本書告訴了我們學易的捷徑與秘訣

近代科學，關於「學習」的方法有着很多研究，教育家們希望能透過這種研究，來訓練記憶，幫助學習，對於近代的教學活動，助益很多。但是生活在過去的人，在學習上便沒有這樣方便與幸福了，他們祇有一個方法——老師教，學生學。聰明的人在吃足苦頭之後，也往往會悟出許多科學的方法與技巧，來幫助學習，便利記憶，但他們却又不把這些方法告訴後人，使後來的人照着他們原來的路子去摸索，去磕撞，當他們吃足苦頭後，又悟出了許多新的方法與技巧，也不告訴他們的學生，仍舊讓他們自己去摸、去碰……。我們的教育就是在這樣情形下，不知道使後世學子多走了多少寃枉路，邵康節學易李挺之，就有過這種故事。當時邵康節向李挺之學易，邵康節請求李挺之，給他一點提示，不必明白說出內容卽可。李挺之告訴他了「一二三四」幾個數字，邵氏在易學上從此自成一家，在易學上的成就，可謂中世紀末的第一人。

在本書中一開始，南教授卽將他個人過去學易所吃的苦頭，不厭其詳的告訴大家，他毫不保留的把他困而知之的方法與心得，明明白白的告訴讀者，如果我們不學習易經則已，假如我們打算拿易經來玩玩，有關易經的一些基本知識，如卦名、卦序、八宮卦變、六十四卦方圓圖等，都必須詳知熟記。本書中有很多學習易經的技巧與要領，使我們可獲得事半功倍的效果。

本書告訴了我們學易的千古不傳之秘

易經對世人來說，始終是一個謎，多少人被它所吸引、所迷惑，尤其歷史上那些用易的大家，對後世的誘惑力，實在太大了，家喻戶曉的諸葛亮、李淳風、劉伯溫等自不待言，後漢的司馬季主、焦京師徒，三國的管輅，晉朝的虞翻、郭樸，宋朝的邵康節等，可以說代有奇人，在歷史的記載中，這些人都有前知的能耐，但他們的方法，却湮而未傳，後世雖有火珠林、金錢課之法，也有黃金策——明胡宏著——之述，但求之於昔日卜者之如響斯應，則已不多見了。因之象數之學，遂流為江湖人士覓食之具，為士人所不苟同，其實江湖術士覓食者流固多，但亦不乏高世奇人之風者，至其術則類於莊子洴澼絖的故事，「有以封者，有以洴澼絖而終其生者」，下面我們舉一則有關漢朝管輅的故事。

石苞是鄴郡掌理農業的官員，問管輅說，你們同鄉有一個人叫翟文耀，會隱身術，是否可信？管輅說，這是陰陽避匿之數，如果知道了這個方法，卽山河大地，皆可隱藏，何況一個人在變化之內的七尺之軀，散雲霧可以隱身，灑金水可以滅形，術足數成，這是很容易的事……。

但這却不是很容易的，本書中到處都散發了箇中消息，要在有心者去捕捉去尋覓它了。

總之，本書可說是南教授學易的心得報告，其中揭發了很多千古不傳的秘密，也有些是他個人獨到的創見與發明，雖不敢說已得三聖之秘鑰，但却把易經與我們人生的關係，更拉近了一步。如同前面說過，易經是與人人有關的書，透過本書的問世，我們希望人人都能獲得易經的幫助，無論你是政治家，企業界的領導人，抑是初出茅盧被領導的上班族，是潛龍勿用的在校學生、或飛龍在天功成名就，爬上事業巔峯的大家……本書對你趨吉避凶，走上成功之路，永享成功的果實，都會有着極大的幫助和影響。

門修纂記

南懷瑾先生著作簡介

1. 禪海蠡測　南懷瑾著

本書爲南懷瑾先生傳世經典之作，有關禪宗宗旨、公案、機鋒、證悟宗師授受、神通妙用，及其與丹道、密宗、淨土之關係，鈎玄提要，爲無上菩提大道，舖了一條上天梯。

2. 楞嚴大義今釋　南懷瑾著

「自從一讀楞嚴後，不看人間糟粕書」——它是宇宙人生眞理探原的奇書，是入門悟空的一部書，也是抱本修行，閉關修行一直到證果跟在身邊的一部書。

3. 楞伽大義今釋　南懷瑾著

「楞伽印心」，禪宗五祖以前，用它來驗證學人是否開悟，書中有一百零八個人生思想哲學問題，是唯識學寶典。解析唯心、唯物矛盾的佛典。

4. 禪與道概論　南懷瑾著

本書說明禪宗宗旨與宗派源流，及其對中國文化之影響。後半部談正統道家及隱士、方士、神仙丹派之思想來源和內容，可稱照明學術界的方外書。

5.維摩精舍叢書　袁煥仙著　南懷瑾合著

散盡億萬家財，行脚遍天下，求法忘軀，大澈大悟，川北禪宗大德塩亭老人煥仙先生，此篇鉅著，分判諸宗門派獨步千古，凡究心三家內典者，不可不讀，南懷瑾先生即其傳法高第也。

6.禪話　南懷瑾述著

「山迴迴，水潺潺，片片白雲催犢返；風蕭蕭，雨灑灑，飄飄黃葉止兒啼。」──禪話對歷代禪門祖師的公案，給予時代的新語！

7.靜坐修道與長生不老　南懷瑾著

融合儒、釋、道三家靜坐原理，配合中、西醫學，對於數百年來，各方修道者的修持經驗，予以深入淺出的介紹和解答，揭開幾千年來修持的奧秘。

8.論語別裁（原文加注音）　南懷瑾述著

是中華民國開國以來，闡揚中國固有文化精髓，推古陳新，使現代中國人能夠了解傳統文化的橋樑。它，接續了古今文化隔閡的代溝。

9. 習禪錄影　南懷瑾講述

「羚羊掛角無踪跡，一任東風滿太虛。」本書是禪宗大師南懷瑾先生，歷年來主持禪七的開示語錄，及十方來學的修行報告，您想一睹禪門風範嗎？假此文字因緣，也算空中授受，可乎？

10. 新舊的一代　南懷瑾講述

原名：廿世紀青少年的思想與心理問題。解析了近百年來學術思想的演變，近六十年來的教育問題和現代社會青少年思想問題的根源。

11. 參禪日記（初集，原名：外婆禪）　金滿慈著　南懷瑾批

本書是一位退居異國的老人，參禪修道來安排他晚年生活的實錄，許多修行的功夫和境界，都是女性修道者，最好的借鏡與指導。

12. 參禪日記（續集）　金滿慈著　南懷瑾批

她的日記續集，讓廿世紀的現代人，看到一個活生生的，邁向修道成功的事實例證。

13.定慧初修　袁煥仙　南懷瑾合著

本書收集袁煥仙先生及其門人南懷瑾先生，有關止觀修定修慧的講記，對習禪及修淨土者，提示了正知正見和眞正修行的方法，最適合初學者。

14.孟子旁通㈠　南懷瑾講述

是繼「論語別裁」後，劃時代的鉅著，爲中華文化留下再生的種子，內容包羅諸子百家思想精華，觸類旁通，驗證五千年來歷史人事，司馬遷謂：「通古今之變，成一家之言。」恰足以讚之。

15.佛門楹聯廿一副　合篇　南懷瑾著

淨名盦詩詞拾零

金粟軒詩話八講

本書揭開古今詩訣奧秘，法語空靈，禪機雷射，所輯及所作詩詞、楹聯，皆爲千古流傳難得一見之詩林奇響。

16.觀音菩薩與觀音法門　南懷瑾等講述

家家彌陀佛，戶戶觀世音，本書收集南懷瑾先生，歷年對觀音法門之講記，及古今大德、顯密二宗對觀音菩薩的看法及觀音修持法門，是學佛的初基，也是求證佛法最直接切入的方便法門

17. 歷史的經驗(一)　南懷瑾講述

本書爲南教授外學講記，以經史合參方式，長短經、戰國策爲主，講君臣對待，有無相生、利弊相參的道理，是治世的良典，是領導的藝術，也是撥亂反正難得的寶笈。

18. 道家、密宗與東方神秘學　南懷瑾述著

本書揭開千古修行、成仙、成佛之奧秘，有關道家易經、中醫、與神仙丹道，以及西藏密宗原理和重要密法法本之提示，皆有深入淺出的介紹和批判。

19. 中國文化泛言(序集)　南懷瑾先生著

本書集中南老師歷年來所寫有關諸書序言，編爲一册，內容精蘊，包含廣泛，於人生學問、修證各方面之見地，高邁今古，迥脫凡塵，揮發儒、釋、道三家思想精華，可藉爲初學入門引導之指南，亦可作爲資深研究者更上之驗證。亦可由此略窺南先生思想精神之大概。

20. 歷史的經驗(二)　南懷瑾講述

張良助劉邦擊敗項羽，統一天下，兵機謀略，大多得自黃石公素書之啓發，素書凡一千三百三十六言，上有秘戒，不許傳于不道、不神、不聖、不賢之人，若傳非其人，必受其殃。得人不

傳，亦受其殃。張良之後，此書不知去向，至晉朝，有人盜發張良之墓，於玉枕之處發現此書，自此素書始再傳於世間云云。書後附陰符經及太公三略，皆兵法之宗祖。南先生此篇講記，將三千年來歷史例證，平鋪原經文之後，以便讀者可以經史合參，而對於千古是非成敗之際之因因果果，判然明白，或者以之做爲個人創業，及立身處世之參考。

21. 禪觀正脈研究　南懷瑾等講述

據佛經記載，釋迦文佛住世時期，有無數修行弟子修行得道證果，何以二千多年來，佛法普及之後，修道者多如牛毛，證果者反而寥寥無幾？此一公案困惑千古行人，原來當初世尊座下弟子，泰半皆從白骨禪觀入手，以爲修行之根基，故容易獲得果證。自南師以「禪密要法」爲底本，首倡白骨禪觀之修法以來，參修同仁，宿業漸消，疾病多癒，禪觀定力亦日有更進。因之懇請南師首肯，乃將當初講記整理出書，以爲修道行人之參考，由於後半部尚待校正及補充資料，故先出版上册先行流通。

22. 一個學佛者的基本信念——華嚴經普賢行願品講記　南懷瑾講述

本書將華嚴經普賢行願品的內義闡述無遺，尤其將普賢行願的修持法門直述公開，顯密融通，是歷來講解此經所未曾有者。書後幷附普賢菩薩有關經文及諸佛菩薩行願。

23.老子他說(上)　南懷瑾先生述著

老子其猶龍乎?南師懷瑾先生在本書中以經史合參,以經解經的方式,藉著老子自證的現身說法,刻劃出中國文化中道家隱士思想在歷史巨變中影響時世偉大磅礡光輝燦爛的一面。同時發揮了幾千年來書院學者所不知、不能言及的道德內蘊。老子他說,他說老子,這是領袖之學,這是修養的極致,有心文化者,有心領導事功者,有心修道成聖者,不可不一讀!再讀!

24.中國佛教發展史略述　南懷瑾先生著

本書從印度佛教起源,談至佛法傳入中國時的現況,以迄於民國後的佛教界,對於研究佛教歷史淵源及禪宗叢林制度的學者,本書提供了清晰的史料和線索,書後并附禪宗叢林制度與中國社會全文。

25.中國道教發展史略述　南懷瑾先生著

幾千年來道教的歷史演變,由學術思想、宗教型式及修煉內涵三方面,以及宗教及科學兩個層次,公平的批判解析道教存在的歷史原因,和它偉大的貢獻和價值,並預言未來道教所應發展的方向。

26.易經雜說——易經哲學之研究　南懷瑾先生講述

南師懷瑾先生精通易理,社會大眾往往有稱讚其爲「當今易學大師」者,然其講解易經課程,卻是深入淺出,平易近人,幾乎把高深的易理說得人人都懂,還有他異於古今學者獨特的妙悟勝解，說是綜羅百家精要亦可，說是成一家之言亦可。本書爲其隨心所講的講記，整編而成，相信必大有助於初學易者及深研易者之啓發。

27.金粟軒紀年詩初集　南懷瑾先生著

本書爲南懷瑾先生自十五歲至七十歲，閒居隨感而作詩詞編集而成。詩是他思想情感寄託蘊藏之所在，也是弟子們藉以了解其師生命的橋樑，本編所集，皆清涼塵囂之無上甘露也。

28.如何修證佛法　南懷瑾先生講述

您知道學佛修行須依持那三個綱要？大乘必須以小乘作基礎，小乘的修法如何修呢？那個法門最易成就呢？修持只爲得定嗎？定是什麼？如何得定呢？修行中會有那些情況與歧路呢？楞嚴經所講的五十種陰魔境界裏，卻蘊藏著修行解脫程序的大秘密？這是南懷瑾先生花了幾十年的時間才發現的秘密，在此公開，請修行同道好好珍惜！

29.易經繫傳別講　南懷瑾先生講述

南懷瑾先生繼「易經雜說」後另一部有關易經的講述是「易經繫傳別講」。繫傳是孔子研究易經的心得報告，也是學易的門徑。本書不但對易經有更精闢的講述，也是孔孟思想、儒家學說的探源。從自然的道理，說到人文的精神，人生的道理，修行的道理……無論入世出世均爲不可亟得的摩尼寶典。

30. 圓覺經略說　南懷瑾先生講述

圓覺經是可以徹底解決人生痛苦煩惱的經典，是指引如何修行成佛的經典。本書的講解，深入淺出，初學易懂，且明白指出如何明心見性，以及修行過程中的諸多問題。有心習禪或參研佛法者，不可不讀！

31. 金剛經說甚麼　南懷瑾先生講述

這是一本超越哲學宗教的書！這是一本徹底消除一切宗教界限的書！千餘年來，無數人研究金剛經，唸誦金剛經，因金剛經而悟道，因金剛經而得到不可思議的感應，爲什麼？四句偈到底是哪四句？禪宗爲什麼提倡金剛經？金剛經的威力是什麼？本書解答你一切的疑問……

32. 藥師經的濟世觀　南懷瑾先生講述

這是一部通俗卻不易懂的經典，爲什麼藥師佛是在東方？藥師佛的藥是什麼？如何能死而復生？如何去面對死亡？以及如何消災延壽等，都是本書中所討論的。